TORONTO
PUBLIC
LIBRARY
Sale of this book
supports literacy programs

LE BON
SENS

D1379098

DU MÊME AUTEUR

VIE, AVENTURES ET MORT DE DON JUAN, Desjonquères
PARIS EN RUINES, Flammarion

Titre original
IL SILENZIO DI MOLIÈRE

27, Bd Saint-Martin
75003 Paris

GIOVANNI MACCHIA

Le silence de Molière

Traduit de l'italien par
Jean-Paul Manganaro
et Camille Dumoulié

ÉDITIONS DESJONQUÈRES

Avant-propos

J'ai toujours été frappé par le profond silence qui, au cours de toute son existence, entoura la personne d'Esprit-Madeleine Poquelin, unique fille de Molière, née en 1665 du mariage avec l'actrice Armande Béjart et morte à l'âge de cinquante-huit ans, en 1723.

Le destin, en l'éloignant du théâtre, lui assigna dans la vie le rôle d'un de ces personnages dramatiques auxquels, sous aucun prétexte, il n'est permis de se taire. Toute jeune encore, elle apprit, telle un Hamlet en jupon, des choses infamantes, vraies ou fausses, sur la vie de son père et de sa mère. Au moment où, comme les autres jeunes filles de son âge, elle attendait la visite de la bonne et généreuse fée, on lui apporta de bon matin le cadeau d'une invisible sorcière : le libelle infamant intitulé *Les intrigues de Molière et celles de sa femme ou la fameuse comédienne*. Personne ne put lui cacher le secret, partout divulgué, qu'elle était le fruit d'un mariage incestueux et que sa mère (comme certains le soutenaient) était même la fille de son propre père. Pourtant, elle ne fit jamais entendre sa voix. Pourquoi ? Pourquoi dans son désespoir ne lança-t-elle pas de hauts cris raciniens et des monologues forcenés pour répéter aux quatre vents qu'elle ne croyait pas et qu'elle n'avait jamais cru à ces infamies ? Pourquoi choisit-elle le silence ? Pourquoi s'est-elle accommodée du rythme tranquille et bourgeois d'une existence quelconque, elle que les Dieux et les événements avaient appelée à respirer l'air supérieur et répugnant d'une tragédie ?

Ces questions et d'autres encore m'ont poussé à tracer un portrait de Madeleine à travers la fiction d'une conversation avec un interviewer imaginaire, portrait dessiné d'après nature pour ce qui est des éléments extérieurs qui le constituent, en grande partie authentiques (avec une part inévitable d'arbitraire), et dans lequel est naturellement libre l'interprétation du personnage, de ce personnage qui n'a pas trouvé à se réaliser.

Les essais qui précèdent ont quelques rapports avec l'image douloureuse qui clôt ce volume. Ce sont des essais dédiés au dernier Molière et qui l'accompagnent presque jusqu'au seuil de la mort. Les personnages restent des personnages comiques. Pourtant, même les plus éclatants, torturés par la névrose, la mélancolie, la jalousie ou la folie, semblent cacher quelque chose de leur auteur : un air secret de ruine, de chute, une ombre dense. C'est cette marge de silence qui les rapproche, les apparente, les lie à celui qui, toujours absent du tableau, eut, dans sa maladie, la force de les créer. Le malheur est silence, semble murmurer Molière. Et on ne peut certes pas dire que sa fille Madeleine n'ait pas recueilli fidèlement, intégralement, cet héritage.

I

Le silence de l'acteur

Scaramouche qui ne
pense qu'à une chose.
Pascal

1. Nous sommes nombreux à subir le charme de l'acteur comique, même quand on ne l'a jamais vu, même quand il a disparu depuis des années, depuis des décennies. À un moment de notre vie, enfanté par notre mélancolie, il devient une des nombreuses incarnations de Yorick.

Aujourd'hui, tout est silence autour de l'acteur napolitain Tiberio Fiorilli, maître de Molière, célèbre en Italie et dans la France du XVIIe siècle sous le nom de son personnage, Scaramouche. C'était, comme Yorick, quelqu'un d'une subtilité infinie, d'une agilité et d'une fantaisie extraordinaires. À quatre-vingts ans il assénait encore des gifles avec le pied, chantait des chansons gaies et tristes, s'accompagnant d'une guitare qui avait remplacé la longue épée rouillée du vieux personnage dessiné par Callot. Ses épanchements d'allégresse donnaient le fou rire au roi, aux princes et aux grands hommes de lettres de ce siècle, eux dont le goût était si difficile. Mais, comme dirait Hamlet, où sont tes railleries ?

À l'un des personnages de Molière, son costume noir suggérait les sombres cieux des nuits sans étoiles. Et aujourd'hui, tout ce qui fit son art est aussi dense et cendré que ce ciel. Le silence et les ténèbres ne sont pas dissipés par la *Vie* que l'acteur véronais Angelo Costantini (ou Constantini) écrivit et publia en 1695 et que Guido Davico Bonino, opportunément, propose de nouveau aux lecteurs italiens avec intelligence et habileté, dans la traduction de Mario Bonfantini.

Dans un théâtre où l'auteur n'existait presque pas et où l'acteur soutenait entièrement le poids du spectacle, Costantini semble intervenir quand les lumières se sont éteintes : Scaramouche rentre alors chez lui pour mener son existence désordonnée, ou bien il recommence à voyager, à se quereller, à duper son prochain. C'est un roman sur l'acteur, comme l'indique Davico, écrit par un acteur (qui fut un Mezzettino bien connu de la comédie italienne à Paris). Mais où est Scaramouche ?

2. À vrai dire, il ne fut point difficile, au XVIIe siècle, de faire d'un acteur un personnage de roman. Scaramouche était, en vérité, un personnage d'« anti-roman ». Si le roman excitait les délices aristocratiques d'une société coupée de la réalité et cultivée, l'anti-roman abordait les mystères de la vie brute, de la vie telle qu'elle était, dans les rues, les gargotes, les prisons. À une époque fantastique, violente et féroce, fastueuse et misérable, sublimée dans son paraître et avilie par la misère, l'acteur devenait l'image du monde, une image exaltante et absurde, tissée de jeu et de danger.

Sa condition nomade rendait grand service au romancier réaliste, toujours prêt à pactiser avec l'imprévisible. La chute de la compagnie de Gelosi aux mains des Huguenots ou l'arrivée joyeuse des comiques dans une ville, dans un bourg, tels qu'ils nous sont décrits par Garzoni et Scarron, ou Scaramouche précipité dans les eaux du Rhône et que l'on croit mort, étaient les étapes d'un voyage infini, sans cesse interrompu par les frissons du hasard. Pour parvenir à l'incroyable, il n'était pas alors nécessaire d'inventer. Et le roman le plus aventureux du XVIIe siècle est encore l'autobiographie d'un musicien, d'Assoucy, toujours accompagné dans ses interminables pérégrinations par deux jouvenceaux équivoques, qui furent souvent la cause de ses malheurs.

En insérant Scaramouche dans une littérature aux limites du « burlesque », en utilisant des anecdotes, des dictons mémorables, des épisodes authentiques et inventés, Costantini en dessine une image tantôt arrogante et sordide, tantôt de bagarreur et de bon à rien, où le fils d'un père homicide devient le petit voleur typique qui ne connaît pas la gratitude, qui s'accointe avec des brigands et, plus encore que son art, apprend celui de vivre aux crochets des autres. On peut soupçonner que Costantini nourrissait pour le grand comique disparu une admiration ambigu, une jalousie posthume, une envie qui n'est pas rare entre gens de théâtre. Certes, même la mort du très vieil acteur, vue par Costantini, s'achève comme une plaisanterie (« le jour où il allait mourir il demanda à déjeuner une soupe à l'italienne, c'est-à-dire un grand plat de vermicelles avec une bonne dose de fromage parmesan »), alors que les derniers instants de Molière dans le récit de Grimarest, lequel repose curieusement sur ce même objet appétissant, le parmesan, offrent je ne sais quelle simplicité et sérénité socratique : « Quand il fut dans la chambre, Baron voulut luy faire prendre du boüillon, dont la Molière avoit toujours provision pour elle ; car on ne pouvoit avoir plus de soin de sa personne qu'elle en avoit. Eh ! non, dit-il, les boüillons de ma femme sont de vraye eau forte pour moy ; vous sçavez tous les ingrédients qu'elle y fait mettre : donnez-moy plûtost un petit morceau de fromage de Parmesan. La Forest luy en apporta ; il en mangea avec un peu de pain, & il se fit mettre au lit ».

3. Un mot d'esprit, pourtant, ou une petite scène suffisaient à faire sortir l'image de Scaramouche hors de son théâtre. Son personnage s'effaçait petit à petit de ce pur royaume de l'éphémère et entrait de manière durable dans la société de son temps, dans la conversation des nobles. Sa récitation revivait souvent par le souvenir d'une situation insolite. Les grands acteurs tragiques gémissaient sur la scène, confinés dans une solitude immense. Scaramouche alimentait les faits de la petite existence quotidienne, parce que son théâtre était la vie, la vie de tous les jours, pleine de choses qu'on ne cesse d'oublier. À tel point que, lorsque ces mots d'esprit, ces scènes parviennent jusqu'à nous, transmis par les grands textes littéraires, ils contiennent des allusions que nous n'arrivons pas à percer. De ce silence dans lequel s'enfonce l'image de tout acteur, brillent des éclats mystérieux de lumière.

Si la fille de Madame de Sévigné a passé quelques mauvais moments et a montré du courage, et si on en parle ensuite dans une conversation, voilà que le nom de Scaramouche ressort. La dame a voulu se montrer courageuse – insinue La Rochefoucauld – en espérant que quelqu'un de charitable l'en eût empêchée, mais, puisque personne ne s'était avancé, elle s'était trouvée « dans le même embarras que Scaramouche ». Le comique napolitain, avec son réalisme anti-héroïque, offrait évidemment de bonnes preuves à l'appui de la philosophie amère du duc : il savait, par expérience, que le vrai courage n'existe pas.

Le 13 novembre 1675, la très vive Madame de Sévigné informait sa fille : « La princesse était à *l'oraison funèbre de Scaramouche,* faisant honte aux catholiques ; cette vision est fort plaisante ». La princesse, fervente, l'air contrit, est la princesse protestante de Tarente. Mais qu'est-ce l'oraison funèbre de Scaramouche ? On peut conjecturer que Madame de Sévigné ait voulu souligner les côtés drôles, théâtraux d'une scène sacrée. Le temple protestant de Vitré avait été détruit en 1671. Dans l'église Notre-Dame bien divisés les uns des autres, les uns dans le chœur et les autres dans la nef, se recueillaient catholiques et réformistes. L'oraison du pasteur, une lamentable « oraison funèbre », lui rappelle une scène de la comédie italienne. C'est la scène dans laquelle l'Arlequin Dominique pleure la mort du grand Scaramouche causée par un médecin ignorant, fait son éloge et exalte ses vertus. Y avait-il rien de plus moliéresque ?

Un placard burlesque, rédigé en italien et affiché quelques années auparavant sur la porte des Grands-Augustins, s'ouvrait par une dédicace à Scaramouche. Son nom circulait, même si ce n'était qu'un prétexte, dans les milieux religieux de l'époque. Et si Voltaire fut scandalisé par la scène où le célèbre comique, habillé en ermite, se penchait par intermittence à la fenêtre de la chambre à coucher d'une femme mariée en déclarant au public : « je le fais pour mortifier la chair », cette même scène n'avait point scandalisé les esprits dévots qui avaient attaqué le *Tartuffe*. Mais deux citations, qui portent la signature de Racine et de Pascal, jettent une lumière nouvelle sur la grandeur de l'acteur. Les chercheurs ne leur ont pas donné l'importance qu'elles méritent.

4. À vingt-huit ans, Racine était déjà parvenu, avec *Andromaque,* à un des sommets de sa carrière d'auteur. Pendant un certain temps, il décide de ne pas continuer dans cette voie. En lisant *Les Guêpes* d'Aristophane, il est tenté d'écrire une comédie. Mais, pour faire participer le public à ses « plaisanteries », il ne s'adresse pas à Molière. Il choisit ces acteurs idéals

que sont les comiques italiens, et à qui cette forme de comique appartenait de plein droit. Il veut donc, lui aussi, se mesurer à la Commedia dell'Arte. C'est là une déclaration qui n'a cessé de désorienter les braves professeurs qui aiment toujours saluer en Racine l'idole d'un théâtre saigné à blanc par les règles et d'où la joie est absente. Certaines scènes (le juge qui saute par les fenêtres, le chien criminel et les larmes de la famille) lui semblaient tout à fait dignes de la *gravité de Scaramouche*.

Il ne s'agit donc pas d'une école de la grossièreté, comme le rhéteur Boileau et son élève Voltaire, tragédien raté, voyaient la comédie italienne ! On est ici en présence du cas typique de l'acteur dont le « jeu de théâtre » incite un grand auteur à écrire pour lui. C'est aussi une leçon de liberté qui, venant d'un poète tragique, peut frapper ; et je ne m'arrêterai pas à remuer les basses raisons (dans ce cas l'inimitié à l'égard de Molière) par lesquelles on essaie toujours d'avilir toute idée, tout propos.

En ces années, Scaramouche quittait Paris pour l'Italie. Et puisque aucun autre acteur n'était digne de le remplacer, Racine renonça à son projet. Naquirent *Les Plaideurs*. Un écho du jugement de Racine se trouve dans ces mots épigraphiques de Costantini : « Ils trouvèrent dans sa personne la joyeuse vivacité de Plaute et parfois aussi la majestueuse gravité de Térence ».

5. Une autre apparition de Scaramouche frappe de manière exceptionnelle. Avec sa silhouette noire, son manteau, son bonnet, son pourpoint et sa guitare, il essaie de violer en riant les secrets de Port-Royal. Il entre comme une image de la mémoire dans le climat désolé et brûlant des *Pensées* de Pascal. Et il s'agit d'une apparition tellement inexplicable que, bien

que présente dans les manuscrits, elle ne fut pas admise dans la première édition des *Pensées* et ne parut pour la première fois que dans l'édition Faugère de 1846. Les commentateurs modernes ne savent pas à quel saint se vouer. La signification même de la citation leur échappe.

Pascal est en train de lancer ses anathèmes contre le théâtre, il condamne la comédie, et ne s'aperçoit pourtant pas que deux personnages comiques, certes pas parmi les plus chastes, glissent de sa plume : Scaramouche et le Docteur. C'est comme un vieux souvenir qui n'arrive pas à s'effacer depuis les années où Scaramouche jouait au Petit-Bourbon. Et le Docteur était peut-être ce même Giovan Battista Angelo Lolli, célèbre dans le rôle du Docteur Grazian Baloardo, connu en France sous le nom de L'Ange.

Mais ce souvenir donne vie à présent, géométriquement et dialectiquement, à deux forces contraires chez Pascal : un personnage enfermé dans son silence, parce qu'il poursuit une pensée, et un autre qui parle, qui parle parce qu'il ne pense pas, même quand il n'a plus rien à dire. « Scaramouche qui ne pense qu'à une chose. Le docteur qui parle un quart d'heure après avoir tout dit, tant il est plein de désir de dire. » Et dans la quiétude sépulcrale de Port-Royal, il semble poursuivre le son de ces longs discours décousus.

À travers deux personnages, qui avec leur force caricaturale donnent du relief à l'idée, Pascal poursuit, afin de frapper ses adversaires, deux états d'âme, deux façons d'être et de s'exprimer : d'un côté une idée, un sentiment, quels qu'ils soient et quelle que soit l'origine qui les fait naître, une pensée ou un sentiment qui est un et ne peut se dédoubler parce que nous ne pouvons pas sentir ou penser deux choses en même temps, et de l'autre le vain goût de la parole ainsi que la fausse science et la fausse conscience, comme chez les jésuites, avec leur casuistique infinie. L'imagination enflammée de Pascal continue à se nourrir de théâtre pour donner vie et âme à son théâtre du monde, et non seulement chez des personnages tragiques comme Cléopâtre, mais aussi chez des types comiques, chez Scaramouche, « le plus grand des bouffons ».

6. L'acteur Evaristo Gherardi, contemporain de Scaramouche, raconte que celui-ci excellait dans le fait de peindre sur son propre visage les marques de la passion. Dans l'eau-forte de Weyen il est représenté en train d'enseigner à Molière les expressions du visage que le disciple compare à celles de son maître. S'il abandonna le masque, c'est parce qu'il savait que l'on joue non seulement avec le geste mais avec le visage, non seulement avec les mots mais avec le silence. On peut parvenir au maximum d'intensité expressive au moment où les mots semblent inutiles. Le grand acteur napolitain se plaçait, ainsi, à des lieues de la récitation classique française soutenue par les mots, emplie de mots, et il s'auto-élisait ancêtre d'un autre napolitain, Eduardo De Filippo.

Racine se souvient de lui, frappé par un soudain balbutiement devant Trivelin qui n'arrive pas à lui faire ouvrir la bouche. Dans une scène célèbre, pendant un quart d'heure entier, Scaramouche, sans dire un seul mot, parvenait à un degré de comique absolu et le public était secoué de rires. Mais Gherardi va plus loin. Il établit une distinction entre l'acteur et l'orateur. Scaramouche avait porté son merveilleux talent à un si haut degré de perfection qu'il en émouvait les cœurs « par les seules simplicités d'une pure nature », et cela bien plus que ne parvenaient à le faire les plus adroits orateurs par les charmes de la rhétorique la plus persuasive.

Nous saisissons vaguement le sens de la mystérieuse oraison funèbre à laquelle faisait allusion Madame de Sévigné. Scaramouche était l'anti-Bossuet. Et l'idée que de lui nous a laissée Pascal n'est pas si éloignée de celle d'un prince italien qui fut un fervent admirateur du comique italien : « Scaramouche ne parle pas et dit de grandes choses ».

[1974]

Don Juan et la Commedia dell'Arte

> *Dom Juan* : Je me figurai un plaisir extrême à pouvoir troubler leur intelligence, et rompre cet attachement, dont la délicatesse de mon cœur se tenait offensée.

I

1. Plusieurs fois, à diverses occasions, j'ai défini le « donjuanisme » comme une sorte de machiavélisme appliqué à l'amour. Et Machiavel en personne entre en scène dans une des premières expressions de la légende. C'est l'histoire de Leonzio, qui amène, de manière sombre et baroque, presque shakespearienne, la naissance du personnage.

Le comte Leonzio, disciple de Machiavel, athée, qui mesurait ses actions à l'aune de l'utilité et du plaisir, avait invité à dîner par raillerie le crâne d'un mort. Après lui avoir demandé en riant si l'esprit immortel qui l'habitait auparavant avait péri ou s'il survivait, il eut la tragique surprise de voir le mort apparaître au banquet, décharné, desséché, exsangue, longue créature faite d'os, buvant et sollicitant les autres à boire avec lui. Les convives disparaissent, disparaît aussi Machiavel ; le pauvre Leonzio, resté seul, après avoir entendu une longue diatribe, fut entraîné par le fantôme dans les abîmes infernaux.

Dans cette histoire, d'origine jésuite, objet d'un drame représenté à Ingolstadt en 1615 (plusieurs années avant le *Burlador* de Tirso) on distingue deux éléments. Le premier, surnaturel et incroyable : l'apparition d'un mort à dîner, et l'autre comique : la peur. Le secrétaire florentin a peur et s'enfuit lestement. Son disciple a peur et se trompe à croire que son salut se trouve désormais dans la rapidité de ses jambes. Quant au personnage, il est évident que le « dissolu », qui ne s'offre qu'aux douces séductions des sens, s'identifie ici avec l'athée. Et l'athée est le « dissolu » dans les scénarios de la Commedia dell'Arte. Aurelio, prince du sang, hors-la-loi et bandit, est athée dans le canevas du XVIIe, *L'Athée foudroyé.* Sous des noms divers, Leonzio, Aurelio, tendent à ressembler à Don Juan.

Mais il faut du temps pour qu'un athée trouve dans l'érotisme le délice suprême de son être athée. Les squelettes rencontrés la nuit dans un cimetière, l'invitation à dîner adressée à un crâne, les statues parlantes avec des épées à la main, ne suffisent pas à ce que Leonzio et Aurelio s'appellent Don Juan. L'athéisme n'est que le chemin du donjuanisme, le bloc solide auquel le personnage appuie sa volonté obstinée d'exister, l'épée au tranchant affilé grâce à laquelle il coupe les nœuds qui le lient à la religion et à la morale. Cette liberté, purement intellectuelle chez Leonzio, de coquin et de matérialiste chez Aurelio, doit s'affirmer en pur amour de la vie. Le sentiment dix-septiémiste du néant, avec le mépris de l'éternel *memento mori* (et des crânes et des images tombales tant de fois représentés dans les peintures de ce siècle, dans ces natures mortes qu'on appelle justement « Vanités »), doit se renverser positivement en obsession vitale, en exaltation de la femme. Non pas au sens médiéval ou pétrarquiste, mais en tant que source inépuisable d'une jouissance tout à fait terrestre.

Le donjuanisme naît du goût de la mort : toujours présente et victorieuse dans la légende. C'est la plus violente protestation contre le culte de la mort instauré entre le XVIe et le XVIIe siècle.

Dans la symbolique amoureuse, c'est la plus forte vague anti-pétrarquiste que la littérature ait conçue. Des deux pôles du XVIe siècle : pétrarquisme et machiavélisme, c'est le second qui remporte la victoire. Les sens, rendus autonomes par rapport à la passion, se détachent de la morale, tout comme l'utile en politique. Dans la formation de Don Juan, l'athéisme est l'élément représentatif, mais ne réclame plus, comme chez les libertins, aucun respect. Nullement fasciné par les disputes théologiques ou simplement théoriques, Don Juan a d'autres chats à fouetter. C'est un génie de la pratique. Le moment venu, en hommage à la pratique, il pourra même, lorsque cela l'arrange, renier son athéisme et feindre de croire (comme cela arrive chez Molière). Mais il reste toujours lui-même.

2. Les scénarios du XVIIe siècle de la Commedia dell'Arte prouvent qu'un personnage aux ascendances théoriques si illustres (Machiavel, le libertinage) est toujours, par condition, un noble, comme Leonzio, mais un noble dont la doctrine vaut comme refus de toute culture. Peut-être ne sait-il même plus qui est Machiavel. Entièrement vitalisé, il considère la vie comme représentation, théâtre de faits qu'il rassemble avec complaisance, pour les entraîner vers le final éternel : l'expérience érotique. La vie est variété, mais elle n'a de sens que si elle est entièrement rythmée par la répétition. Mise en scène, l'aventure de Don Juan est à l'opposé de toute idée de théâtre proprement classique. Elle a besoin d'espace et de temps. Éternel facteur de la débâcle des familles, Don Juan peut devenir un personnage complexe (comme cela arrivera dans le romantisme), mais il contient des éléments de héros populaire, et il fut tel chez les acteurs de la Commedia dell'Arte, pour des raisons de forme et de contenu.

Tout comme le personnage d'un drame populaire, Don Juan ne peut respecter, du point de vue théâtral, les prétendues « unités ». S'il ne se déplaçait pas en plusieurs temps sur la scène et si son action ne produisait pas des faits concrets, il ne pourrait même pas subsister en tant que personnage. Il est toujours le symbole le plus remarquable d'un « théâtre d'action », tel que fut justement la Commedia dell'Arte. Il y a en outre, dans la structure de la légende, une séparation inexorable entre le ciel et la terre, et cela aussi porte la marque du populaire. Don Juan représente la terre sans ciel, la terre avec ses délices faciles et concrets. Le ciel condamne, adresse des invitations éternelles et sans réponse au repentir. Il ne promettait pas plus. Le ciel était la mort. Il ne restait donc plus au bon public qu'à jouir de la jouissance de Don Juan ; qu'à s'amuser même quand il tuait ; tout heureux cependant, jésuitiquement, de n'être pas entraîné dans la damnation du pécheur.

La cruauté dans l'érotisme, expression totale de l'être, sa façon d'aller droit et courageusement au but, en faisaient une sorte d'anti-héros que le public aimait diaboliquement. Mais il devenait un héros dans son élan incroyable vers ce qui, jusque-là, était considéré comme une futilité digne d'une nouvelle « agréable » et piquante ; dans l'ignorance (contrairement à son serviteur) de la peur devant le châtiment et la mort ; dans le refus des lâchetés du repentir ; dans l'affirmation d'un sens chevaleresque et féodal de l'honneur. Le sexe, servi par une vitalité inépuisable, délivré du sentiment, acquiert une dimension extraordinaire qui débouchera dans la psychopathie sadienne. On a dit que l'amour est une invention du XIIe siècle. Mais au XVIIe siècle on inventa l'érotisme avec toutes ses dégénérations et sa folie. On inventa Don Juan.

3. Il était inévitable que, dans le Don Juan de la Commedia dell'Arte, l'histoire, tragique et lugubre (« lugubrem tragoediam »), après avoir développé l'élément comique, déjà présent chez Leonzio et dans le *Burlador* espagnol, dût être pétrie, dans le sang, de divertissement et de rires. La raillerie rôde à quelques pas du crime. Les lazzi ne sont pas épargnés, même quand le cadavre est sur la scène. Dans cette alternance entre le grave et le facétieux, entre le drame et la farce, se place la grande extension théâtrale de la légende que les comiques dell'Arte utilisèrent jusqu'à ses conséquences extrêmes, avec l'invention de personnages, de nouvelles situations, de tons nouveaux. Dans la comédie classique (celle, par exemple, du pseudo-Cicognini et de Molière lui-même), le mélange de tons deviendra mélange de styles ; et cela ne pouvait pas ne pas déplaire aux oreilles bien élevées du spectateur du *Grand Siècle*.

On s'étonne (et Molière lui-même s'en étonnait) de ce qu'à certaines scènes fortes et audacieuses inventées par les comiques italiens ne fût pas réservé le même sort que subissaient ces mêmes scènes lorsqu'elles étaient présentées par Molière : leur suppression par la censure. Chez Molière, elles se révélaient offensives parce qu'elles prenaient, à cause de la qualité littéraire du texte, un relief et une couleur insolites. Elles ressortaient dans la structure qu'il leur a donnée. Elles offraient une conscience morale et stylistique au personnage qui dépassait ainsi les limites du comique. Récupérées par les acteurs dell'Arte, ces mêmes répliques, dans leur même puissance offensive, devenaient des trouvailles heureuses qui, comme telles, volaient au-dessus de la tête des spectateurs, sans presque les toucher.

Il était donc très difficile, pour celui qui, tout en utilisant le pur jeu de scène des comiques, voulait préparer un drame « écrit » et construit, d'harmoniser les aspects contrastants et absurdes de l'histoire. Il s'agissait de faire agir vers la conclusion finale, l'un à côté de l'autre, des personnages différents, qui parlaient des langues différentes et avec des idéals et des besoins différents. Don Juan est sur scène pour essayer de les assembler tous : le roi et le serviteur (auquel lui-même donne un relief imposant, comme Don Quichotte à son Sancho), la duchesse et la marchande de poisson, le comte et le paysan un peu sot, le Commandeur et le laquais. C'est un point d'entente, et il arrive à dépasser facilement ces différents langages, limites d'une culture tout à fait conventionnelle, parce que toute convention, pour lui, cède à la simple nature des instincts, au besoin d'aimer. L'amour ne reconnaît ni les pauvres ni les riches, ni les aristocrates ni les plébéiens. Le monde n'est rien d'autre qu'« un homme et une femme » : comme dans la première scène du *Burlador.*

Dans deux textes italiens, de qualité médiocre, *Le convive de pierre* déjà attribué à Cicognini, et *L'impie puni* de Pippo Acciajoli, on ressent clairement les difficultés de transposition de ce thème sur la scène classique. Deux traditions théâtrales y confluent. Dans le *Convive* du pseudo-Cicognini la Commedia dell'Arte est utilisée pour l'argot, pour les situations, pour le caractère donné aux personnages, qui sont de véritables masques. Les expressions argotiques sont encore souvent reprises du répertoire des comiques (comme : « tengo andare per fare un pero morto »[1]), mais sans plus comprendre le sens de la réplique, son utilisation humoristique et le rire qu'elle provoquait. Le monde de la Cour parle la langue des mauvaises tragédies en prose : noble, vide, pompeuse. Le Commandeur s'exalte en une description touristique de la ville

1. « Je tiens à y aller pour faire le poirier ».

de Lisbonne et, s'il fallait le condamner uniquement pour ce qu'il dit, il mériterait la mort. Et même Don Juan, si expéditif quand il fait l'amour et méprisant toute culture, dans ses derniers moments, est envahi, bien que l'intention soit burlesque, par une fureur de culture. « Si j'avais cru, ô Convive, que tu viendrais, j'aurais dépouillé Séville de son pain, l'Arcadie de sa viande, la Sicile de ses poissons, la Phénicie de ses oiseaux, Naples de ses fruits, l'Espagne de son or, l'Angleterre de son argent, Babylone de ses tapis, Bologne de ses soieries, les Flandres de leurs dentelles et l'Arabie de ses senteurs, pour en dresser une somptueuse table digne de ta grandeur ; mais accepte... » Devenu mariniste et presque pseudo-cornélien, même Don Juan n'est pas digne de survivre, et les véritables protagonistes, pleins de vie, se trouvent tous de l'autre côté : personnages dialectaux, serviteurs, marchandes de poisson, le Docteur, Pantalon gendre du Docteur, Brunetta : cyniques ou plaisantins, irrévérencieux, dociles ou rusés. D'un côté l'immobilisme ampoulé ; de l'autre, le geste rapide et décidé, dessin de la parole.

La critique appropriée à la vie de ce chevalier « extrêmement licencieux » ne vient pas du Roi ou du Commandeur : c'est la leur. Le nécessaire de Passarino (l'appétit, la faim) se heurte continuellement au superflu de son maître (la conquête amoureuse, divertissement de quelqu'un qui a de quoi manger et qui n'a rien à faire). Quand le duc Ottavio court prendre vif ou mort Don Juan,Fichetto, son serviteur, ironisant sur l'inutilité d'être un seigneur devant la mort, commente avec férocité : « Et je m'en irai faire un gibet tout neuf, puisque c'est un gentilhomme ». Lorsque Don Juan est englouti, Passarino voit englouti en enfer non l'âme de son maître, mais ses appointements : « Ils ont chu chez le Diable ».

Ces personnages typiques ne peuvent même pas disparaître dans un drame en musique, et *L'impie puni* de Pippo Acciajoli (qui est chronologiquement le premier de ces drames en musique) nous le confirme. Ils sont utilisés schématiquement pour développer des actions parallèles, l'une sur un ton sérieux, l'autre sur un ton comique, comme il en sera dans la tradition de l'opéra bouffe et de l'opérette. Bibi, serviteur d'Acrimante (Don Juan), a maintenant comme amoureuse la vieille et laide nourrice d'Hippomène. Les autres personnages, tous tourmentés par l'amour, suivent, dans l'histoire, d'autres lignes schématiques : plongés dans cette aura de roman précieux qui restera longtemps liée aux œuvres en musique jusqu'à Métastase. Une fois seulement ce schématisme est utilisé dramaturgiquement : dans l'apparition des écuyers au premier acte : « Gran tormento che mi par/Lavorar/La notte e'l di »[1], qui annonce le « Notte e giorno faticar,/Per chi nulla sa gradir...»[2] du Leporello mozartien. Mais le drame, permet de se rendre compte de la facilité avec laquelle des éléments aussi divers peuvent confluer dans la légende.

4. On ne pourra évaluer pleinement la grandeur du *Dom Juan* de Molière que dans son rapport avec ces textes-ci et avec d'autres. La comparaison trop facile avec les « tragi-comédies » de Dorimond et de Villiers, déjà plusieurs fois établie, même récemment, ou avec le *Burlador* espagnol (dont on ne sait pas d'ailleurs si Molière le connaissait directement), ne suffit pas à marquer l'ampleur de l'écart. La grandeur du Don Juan de Molière n'a rien de révolutionnaire par rapport à la tradi-

1. « Grand tourment, oui, je le crois/Travailler/De jour, de nuit ».

2. « Nuit et jour à s'épuiser,/Pour qui rien ne sait aimer... ».

tion. Elle tient, tout au plus, en un dosage éclairé d'éléments contraires, repris à différentes sources, en utilisant ce qui devait être utilisé pour donner une apparence d'unité à la comédie et en repoussant ce qui devait être repoussé. Le génie de Molière, avec ses emportements et ses trouvailles irrésistibles, reste un génie critique : critique par rapport à la tradition théâtrale et à une idée du théâtre qui s'affirmait en France dans ces années. On a reproché à son Don Juan d'être plutôt décousu et aventureux. On avait oublié évidemment la tradition littéraire avec laquelle il avait à faire, ainsi que la constitution et la nature de la légende.

Puisqu'il était impossible de respecter l'unité de lieu, Molière chercha à rendre moins incroyable l'histoire du point de vue temporel, en évitant tout effet baroque et en réduisant au strict minimum l'irruption de faits éclatants sur la scène. Il s'en remet aux événements qui précèdent. Il resserre l'action théâtrale au profit du récit théâtral (la présentation de Don Juan au premier acte, par exemple). Il atténue le mouvement tourbillonnant de l'ensemble. Le héros ne tue pas le Commandeur sur la scène. Il l'a tué quelques mois auparavant, ainsi Molière rend moins incroyable l'apparition de la statue au dernier acte. Il n'apparaît qu'une seule des deux dames traditionnelles (la duchesse Isabelle et Dona Anne), son épouse légitime Dona Elvire (une seule femme aussi apparaissait chez Dorimond et chez Villiers). Il développe de l'intérieur la nature du personnage principal, qui lance avec complaisance ses déclarations libertines et étale sa psychologie raffinée, digne du grand moraliste, auteur du *Tartuffe*. L'inculture du vieux Don Juan est ici mise en discussion. Afin de ne pas altérer le raffinement captieux du personnage, Molière n'utilise pas des scènes trop vulgaires : comme l'ancienne scène de la liste.

Mais, en même temps, avec quelle force agit en lui la grande tradition de la Commedia dell'Arte, qu'il respecte et dont il se sert sans aucune hésitation !

Tirso avait écrit son *Burlador* en des vers très rapides. Les *Festins* de Dorimond et Villiers sont en de lourds alexandrins. À une époque de grand bonheur créatif, dont la meilleure production fut en vers (d'un naturel qui enchantait Boileau), Molière écrit son *Dom Juan* en prose, et ne reçut l'approbation de personne ; ni celle du public qui continuera à lui préférer pendant tout le XVIIe la rédaction limpide et censurée, en alexandrins, de Thomas Corneille, ni celle de Voltaire qui découvrit dans cette prose une des raisons de l'insuccès de la comédie. Mais pour quelle raison fallait-il faire parler Sganarelle, Mathurine ou le Pauvre en alexandrins, comme l'avait fait Villiers ? La parole devait adhérer à l'action, le geste rapide devait dessiner les contours de la parole : ce sont les Italiens qui le lui avaient appris. C'est pourquoi il donna même au serviteur une dimension scénique digne de la tradition italienne, en le faisant apparaître sur la scène un nombre de fois supérieur à celui auquel parvient le personnage principal (et, en tant qu'acteur, il se réserva ce rôle, comme le faisait Biancolelli). Dans les scénarios italiens, on présentait des personnages qui parlaient le bergamasque ou le bolonais. Molière ne renonça pas, comme l'on sait, à de tels personnages dialectaux.

Mais il y a surtout un détail qui frappe. Les scènes les plus courageuses de la comédie, les plus typiquement moliéresques, sont empruntées aux Italiens (comme s'il leur demandait protection). Au moment de l'intervention de la justice divine, lorsque son maître tombe en enfer et que Sganarelle regrette les appointements qu'il n'aura pas, sa réplique (supprimée ensuite par la censure) se trouve déjà dans les canevas italiens, et aussi dans le pseudo-Cicognini. Plus encore. Une des créations les plus célèbres de Molière, la figure humble et monumentale du Pauvre, qui fait seulement une courte mais inoubliable apparition (figure ensuite effacée et qui réapparaît au théâtre et dans les éditions cent cinquante ans plus tard), est elle aussi, du moins dans sa première ébauche, une invention des Italiens. Ce fut une scène qui provoqua cette fois, en Italie aussi, des censures plus totales et irréparables.

II

1. Parmi tous les moyens dont dispose l'« autorité », la censure est le plus difficile, à cause des diverses manières dont elle est exercée. C'est une arme qui retombe très souvent sur celui-là même qui s'en sert. Au moment où la polémique sur le *Tartuffe* de Molière battait son plein et où l'on criait au scandale, le public sortait amusé et en joie d'une comédie représentée par les Italiens : *Scaramouche ermite,* que nous avons rappelé ailleurs.

Pour quelle raison ces messieurs, qui s'étaient tant scandalisés en assistant au *Tartuffe,* faisaient un succès à Scaramouche et ne s'en offensaient pas ? Ce n'était pas le petit bourgeois simplet et ignare qui posait cette question, mais le roi de France en personne, un Louis XIV déjà mûr, qui, à la sortie du théâtre de la cour, ne dédaignait pas de demander des lumières en ce sens au prince de Condé. Et Condé de répondre : « Celles-là [les comédies italiennes] n'attaquaient que la piété et la religion, dont ils se soucient fort peu ; mais celle-ci [*Tartuffe*] les attaque et les joue eux-mêmes et c'est ce qu'ils ne peuvent souffrir ».

Ce n'est un mystère pour personne que des raisons très personnelles provoquent souvent les protestations les plus énergiques et les plus moralistes. Et ce pauvre roi Louis ignorait encore le pire : ce que ces messieurs, qui toujours le flattaient et protestaient de leur obéissance, allaient d'ici peu préparer, dans un excès de moralisme, non seulement contre le *Tartuffe,* mais contre le théâtre lui-même, contre *son théâtre*. Jusqu'à souhaiter qu'il disparaisse à jamais !

2. Mais une autre raison, plus simple, à laquelle Condé ne prêta pas attention, laissait une grande marge à ce genre de spectacles.

Pour les Français, les Italiens jouissaient alors, au théâtre, d'une liberté bien plus grande. Lorsque la polémique sur *Dom Juan* commença et que Molière se défendit en disant qu'il n'avait rien fait d'autre que de traduire sa comédie de l'italien, Rochemont, un de ses accusateurs les plus acharnés, lui répliqua dédaigneusement que l'Italie avait « des libertés que la France ignore ». Trente ans plus tard environ, ce fut un autre Italien, le père théatin sicilien Francesco Caffaro, qui se permit de suggérer aux Français, en harmonie avec ce que pensait le clergé de son pays, que le théâtre devait être considéré comme un divertissement légitime. Le pauvre père ne croyait point s'être aventuré dans des affirmations courageuses, mais, s'étant exposé à un grand nombre d'attaques, il fut déféré devant son ordre. Même à cette occasion, ce fut toujours l'œuvre de Molière, déjà mort, qui en fit les plus grands frais, sous les terribles accusations de Bossuet.

Et, même s'il avait été vivant, Molière n'aurait pas pu répondre à Bossuet : « Ce sont les Italiens qui m'ont appris à rire ». Dans la cour envahie par une fureur d'honnêteté, hypocritement revêtue de noir, les farces d'Arlequin et d'autres malicieux corrupteurs cédaient désormais la place aux « fausses prudes » et aux tartuffes. Car ces derniers avaient gagné. Les acteurs italiens furent chassés de France, emmenant avec eux leurs ermites. Et, des années plus tard, Voltaire s'en prenait encore à la barbarie gothique avec laquelle on marquait d'infamie un art comme celui du théâtre, et répliquait rageusement qu'il ne viendrait à l'esprit de personne, en Italie, d'excommunier « monsieur Tenezini et madame Cuzzoni ».

Peut-être pas monsieur Tenezini, mais plutôt quelque brave homme, quelque ermite (même parmi ceux qui ne venaient pas de France), on le faisait alors taire d'autorité, en Italie aussi.

3. On sait que Molière, dans son *Dom Juan*, avait pensé à l'effet que provoquerait sur le public la scène où ce libertin athée et jouisseur, pour qui n'existent que la matière et les sens, rencontrerait un pauvre : mieux encore, un croyant pauvre, c'est-à-dire sans l'entourage du faste des prélats, mais un croyant qui crève de faim. Quelques pèlerins inoffensifs étaient apparus dans les Don Juan précédents (ceux de Dorimond, de Villiers). Déjà très dans le « style Louis XIV », c'étaient des hommes de cour déçus, devenus ensuite partisans de la vie innocente des bois, et qui, dans l'action théâtrale, avaient pour seul but de permettre à Don Juan, maniaque du travestissement, de prendre le masque d'un ermite.

Molière a poussé la rencontre jusqu'à ses conséquences extrêmes. Si cet ermite affamé – a-t-il pensé – nous demande la charité et que nous lui offrons de l'argent *sub condicione* : à condition qu'il commette un acte contraire à sa religion, blasphémer, par exemple, que fera-t-il, comment se comportera-t-il ? Dans son cynisme, pas un instant Don Juan ne doutera du choix : rien ne peut résister, ni la morale, ni la religion, devant la réalité pratique, c'est-à-dire devant le plaisir et l'utilité. Molière nous a présenté la solution opposée. Le pauvre n'accepte pas : il préfère mourir de faim.

Que pouvait-il y avoir d'offensant en une scène où le gagnant n'était pas Don Juan, mais cet être humble affamé qui donnait l'exemple d'une force morale presque incroyable ? En la sacrifiant, on protégeait Don Juan et tous ses semblables, certainement pas le pauvre. Une fois encore, les Italiens ne censurèrent pas cette rencontre lorsque, à la fin du siècle, Niccolà Castelli la traduisit intégralement (avec quelques notes explicatives). En France, où l'on avait laissé passer les obscénités d'ermites plus importants, cette scène fut d'abord modifiée, puis supprimée. Et il est curieux que Voltaire, qui sut toujours tout sur tout le monde, la cite dans une version où le mot *jurer* n'apparaît pas : il ne connaissait pas le texte écrit par Molière.

Certains chercheurs français qui ne retrouvaient ce personnage mystérieux ni chez Tirso ni chez le pseudo-Cicognini, ont présumé qu'il était apparu « certainement pour la première fois » (Gendarme de Bévotte) dans une comédie que l'on ne connaît pas car elle a été perdue : le *Convié* de Giliberto. Il eût mieux valu s'adresser à des textes existants ; encore une fois, aux scénarios de nos comiques dell'Arte. Et par exemple, à l'*Athée foudroyé*. Dans ce scénario du dix-septième siècle (publié pour la première fois dans un manuscrit de la bibliothèque Casanatense, dans les Actes de l'Accademia dei Lincei par De Simone-Brower) le prince Aurelio, une incarnation de Don Juan, rencontre un vieil Ermite « qui lui demande l'aumône » et Aurelio « le méprise en riant et lui demande s'il aime les bonnes choses ».

Ce mépris, cette incrédulité envers le besoin, cette façon de tourner en dérision l'humilité (qui ne se rencontrent pas dans d'autres textes) étaient déjà très moliéresques. « Tu te moques » disait Don Juan au pauvre. « Un homme qui prie le ciel tout le jour ne peut pas manquer d'être bien dans ses affaires. »

4. Mais, repensant au déroulement précipité de la scène, il m'avait paru singulier qu'Aurelio, tout bandit et redoutable athée qu'il fût, méprisât un pauvre malheureux pour le simple fait qu'il lui demandait la charité. Je voulus lire le manuscrit du scénario. Entre les mots « demande aumône » et « Aurelio le méprise en riant », il y avait autre chose. Quatre lignes d'écriture se présentèrent à moi, recouvertes d'une épaisse couche d'encre très noire (auxquelles mon prédécesseur et d'autres éditeurs n'avaient pas donné de l'importance), étalée évidemment bien des années plus tard avec une décision et une violence irritée, telles que la plume, à plusieurs endroits, avait percé le papier.

Ce fut comme si j'avais surpris, au moment même de son terrible mandat, l'ombre très noire du censeur : ce triste personnage que les Italiens, dans leur meilleure époque, avaient réussi à tenir à l'écart de la scène. Qui sait combien de fois nos comiques avaient représenté cette scène sous les feux de la rampe, parmi les rires ! Chassé loin de la scène, le censeur intervenait dans la salle vide d'une bibliothèque, une fois les lumières éteintes, conjurant, de façon drastique, la menace contenue dans la vaticination ensorcelée de Bossuet au public qui s'amusait : « Malheur à vous qui riez, car vous pleurerez ! ».

Que se cachait-il donc sous ces lignes de si dangereux qu'il ait fallu souiller et lacérer un manuscrit et en empêcher à jamais la lecture, même aux quatre chats qui fréquentent une bibliothèque ? À en juger par les réactions, il s'y cachait une scène peut-être encore plus forte que celle de Molière. Et, indéniablement, le censeur savait s'y prendre. Car, malgré la mobilisation à laquelle j'ai soumis de gentils bibliothécaires, des photographes expérimentés, des techniciens et des assistants, malgré les découvertes de la science (rayons ultraviolets, infrarouges et autres « diableries »), le noir de cette encre n'a cédé que pour une très faible part. Réfractaire à la lumière, ce court rideau d'obscurité n'a laissé affleurer à la surface que quelques mots ; tels des éclairs dans un désert, des murmures dans le noir.

Quand l'Ermite lui demande la charité, je lis clairement qu'« Aurelio se moque de lui ». Et la moquerie, avant que le mépris, est aussi chez Molière. Enfin, je lis moins clairement, « il lui donne licence de... ». C'est le mot que le censeur s'est le plus amusé à torturer. Mot grave, certes. Peut-être : « il lui donne licence de blasphémer » ? Cette invitation au blasphème me donne, je l'avoue, une ombre de bonheur. Puis des syllabes coupées, détachées. Il y a un « enfer » certainement prononcé par l'Ermite. Est-ce là le mot qui provoque chez l'Ermite la terreur d'être condamné à l'enfer, s'il blasphémait, et les rires et le mépris chez Aurelio ?

En cet état des faits, il est plus facile d'immerger des spéléologues dans un abîme ou de violer les creux lunaires. Mais, continuant à nourrir une confiance aveugle dans le siècle d'or de la technique, et méditant sur les diverses destinées réservées aux ermites au théâtre, je suis de plus en plus convaincu que ce scénario italien renferme, bien cachée, telle une fleur venimeuse, la première, l'authentique image du Pauvre de Molière.

[1965]

II

Tartuffe quiétiste ou la défense d'Orgon

Orgon : Il m'enseigne à
n'avoir affection pour rien.

I

1. *Tartuffe* suscite aujourd'hui un regain d'intérêt qui se manifeste de manières très diverses. La vie de ce chef-d'œuvre, même à notre siècle, fut des plus contrastées. Pris dans l'art au grand jour ou souterrain de la polémique, il ne parvint que rarement à susciter un consensus complet. Mais à une époque glorieuse de tartuffes comme la nôtre, à une époque si profondément « tartuffiée » (dirait Dorine, le personnage de la femme de chambre qui, dans la comédie, voit plus clair que les autres), c'est sans doute cette âpre saveur de la polémique, cette capacité de frapper les esprits qui se dégage encore intacte d'un texte si lointain, c'est cela qui fait que le choix tombe encore sur *Tartuffe*. Après les reprises sur les scènes italiennes, après de nombreuses rééditions et traductions[1], on me dit que l'homme habillé de noir et au col blanc apparaîtra à la télévision italienne. Après celui d'Emil Jannings, réalisé par Murnau, nous en verrons un autre à l'écran, me dit-on, certainement d'un engagement stylistique moindre, mais plus téméraire et scandaleux. À ces interprètes possibles, je voudrais dire quelque chose au sujet de ce

1. Sur la traduction de Cesare Garboli et sur sa préface, cf. ce que j'ai écrit sur le « Corriere della Sera » (2 juin 1974).

qu'il y a et de ce qu'il n'y a pas dans *Tartuffe*. Ouvrir un entrebaillement sur ce qui, dans la comédie, ne se voit pas ou que l'auteur n'a pas voulu nous montrer.

2. Il manque à cette comédie le début et la fin. Il manque le procès de Tartuffe au dernier acte, il manque sa défense aux accusations, une défense effrontée et pathétique, où le personnage martyrisé aurait eu beau jeu devant ses accusateurs, pour devenir le vainqueur ou le vaincu. Le scandale d'une condamnation sans procès voulue par le *deus ex machina* de l'autorité royale, le scandale d'être condamné sans avoir la possibilité de se défendre est tout entier dans l'interrogation de Tartuffe : « Pourquoi donc la prison ? ». Il a raison. La vérité est de son côté. Avec une réplique comme celle-ci, Molière a situé son personnage dans la zone des poursuivis, des victimes. Peut-être parce qu'il est difficile de condamner les tartuffes en se servant des lois ?

Il manque le début de la comédie, il manque le dessin du personnage dans ses premiers agissements. Nous ne savons pas, parce que Molière ne nous le dit pas, de quels artifices s'est servi Tartuffe, une fois admis dans la maison, pour « suggestionner » son bienfaiteur Orgon ; qu'a-t-il fait pour le convaincre de se placer entièrement de son côté, de se jeter dans ses bras. Il n'y a pas une seule scène dans la comédie où Tartuffe et Orgon soient laissés seuls, l'un en face de l'autre, les yeux dans les yeux, en train de se dire deux mots de consentement, d'affection réciproque, de dévouement inconditionné. Ils se regardent pour la première fois à la fin du troisième acte, et puis, quand le rideau est tombé, avec des yeux haineux, au moment de se quitter à jamais. Pour quelle raison Molière a-t-il fui la confrontation directe entre les deux personnages, a-t-il renoncé à nous révéler les termes qui régissent cet accord, ce consentement, cet amour ?

Cela ne suffit pas. Un lecteur attentif aura remarqué que nous savons tout de Tartuffe alors qu'il est encore un étranger pour Orgon : sa rencontre à l'église, ses prières ferventes, cette manière d'accepter la moitié des aumônes qu'il lui offre, accompagné d'un jeune homme qui est son ombre et sa caricature. Théâtre raconté et sans action, récit de ce qui s'est passé avant que la comédie ne commence. Et ensuite ? L'informatrice la plus accréditée, hostile et circonstanciée de la vie de Tartuffe dans la maison qui l'accueille, est la femme de chambre qui, mieux que tout autre, connaît ce qui se passe dans ces pièces dont elle n'ignore aucun des secrets.

Deux choses l'ont surtout frappée : la misère du personnage, mal en point, pauvre et débraillé autrefois, maintenant bien mis et bien nourri, ainsi que l'amour, le transport, la tendresse anormale dont Orgon fait preuve à l'égard de ce robuste jeune homme de province, arrivé à Paris à la recherche de protection, vigoureux, au « teint bien fleuri » et aux oreilles rouges, plein de santé. Dorine parle clairement, malignement, et ses allusions sont même par trop évidentes. Orgon aime Tartuffe – dit-elle – cent fois plus qu'il n'aime sa femme. Il l'embrasse comme s'il était son amant. On ne pourrait avoir plus de tendresse pour une « maîtresse ». C'est un scandale. Pourquoi ne l'épouse-t-il pas en laissant sa famille tranquille ? « Charme », « tendresse » sont les mots employés par les membres de la famille pour expliquer l'aveuglement de ce transport amoureux, depuis la fille Mariane jusqu'au sage Cléante, lequel s'émerveille qu'un homme puisse exercer auprès d'un autre un charme tel qu'il en oublie toute chose. Les insultes que les autres composants de la famille (exclusion faite de Madame Pernelle) lancent contre Tartuffe sont plus grossières. Les jeunes ne voient dans cet hôte qu'un « bigot », un « pied plat », un hypocrite, un misérable, une fine mouche que personne ne parvient à faire tomber dans son filet. Mais personne ne se demande quel art subtil, quelle discipline amoureuse ont présidé à un tel « charme ».

3. C'est Orgon qui le fait, la victime, avec beaucoup de discrétion, au cours de la longue entrevue avec son beau-frère, le moins apte à recevoir ce genre d'aveux. Dans cette entrevue, au début, il parle simplement d'« amitié ». Ensuite, s'étant bien échauffé à l'évocation des premières rencontres, il parle lui aussi de « charme ». Enfin, faisant preuve d'un abandon total, il va jusqu'à se servir du mot « ravissement », essayant d'impliquer, dans son admiration illimitée, l'âme plutôt experte de Cléante, tendant même à un vague libertinage. Comme il arrive à celui qui vit sous le doux pouvoir d'un charme, pour Orgon, Tartuffe échappe à n'importe quelle définition. Le définir serait circonscrire ce qui ne peut être circonscrit (« c'est un homme... qui... ha ! un homme... un homme enfin ! »). Tartuffe est un monde. Du peu qu'il dit de ses rapports intimes avec son maître-ami ne sont clairs que trois points.

Orgon a suivi ses « leçons ». C'est-à-dire qu'il l'a nommé son directeur spirituel, tel que déjà Dorine l'avait défini : « et de ses actions le directeur prudent ». Le résultat de ces leçons, de ces « entretiens », est la conquête d'un sentiment de paix, de sérénité, la sensation d'un changement ; il est tout à fait différent de ce qu'il était, si bien que même le monde dans lequel il avait l'habitude de vivre, de se plaire, de souffrir, lui apparaît désormais comme lointain, dégoûtant dans son souvenir, bas, sale, petit, lâche (« et comme du fumier regarde tout le monde »). Dans le monde des affections les conséquences sont totales. Ces entretiens, cette familiarité dans leur vie ont créé chez lui le sentiment du néant, dans ses rapports avec ses amis et avec sa famille.

> Il m'enseigne à n'avoir affection pour rien.
> De toutes amitiés il détache mon âme.

Il est ainsi parvenu à la très douce solitude. Il est seul avec son directeur spirituel. Et recouvrant d'un voile de comique la solitude morale dans laquelle il a chu, Orgon avoue qu'il verrait mourir frère (c'est-à-dire beau-frère), fils, mère et femme, sans qu'aucune souffrance, aucune angoisse ne puissent l'affliger.

4. Tartuffe est donc un jeune homme, un jeune homme robuste et peut-être, dans sa rusticité, est-il même beau. C'est une donnée de fait que les metteurs en scène n'ont pas toujours respectée. Pour donner corps à l'idée de l'hypocrite, du faux dévot, nous avons vu sur scène et à l'écran des Tartuffe gras et répugnants, des silhouettes visqueuses qui provoquent le dégoût. Toute une littérature antérieure conseille le contraire. Si le caractère envoûtant du personnage avait pour support un physique si dégoûtant et balourd, il serait difficile de prévoir une victoire aussi bien de Tartuffe que de Iago.

Giuseppe Verdi, avec son bon sens, conseillait au peintre Morelli de ne pas peindre Iago comme une de ces figures fourbes, malignes, et, disait-il, anguleuses. « Si j'étais acteur, poursuivait-il, et si je devais représenter Iago, je voudrais avoir une silhouette maigre et longue, des lèvres minces, le front haut [...] ; des façons distraites, nonchalantes, indifférent à tout, incrédule, pétillant, disant le bien et le mal avec légèreté, comme avec l'air de penser à tout autre chose qu'à ce qui se dit. » De même, le jeu de Tartuffe doit éviter les accents grossiers dans lesquels un personnage révèle son identité. Il ne faut pas que le metteur en scène s'acharne contre lui. Tartuffe est un homme rusé, d'une intelligence subtile, il a une doctrine à lui qu'il a apprise comme il faut. Et dans son rapport avec le directeur spirituel qu'il adore, même Orgon apparaîtra, de la sorte, plus crédible, plus humain.

Est-ce vraiment un imbécile, Orgon ? Il a son propre passé. Il a participé à la Fronde. Mais c'est aujourd'hui un père de famille malheureux, un homme en crise, marié deux fois, avec une mère terrible et un beau-frère aux idées modernes et toujours prêt à faire des sermons, avec des enfants inquiets et amoureux, et une femme de chambre insolente qui vaut quatre maîtresses et dont on ne sait pourquoi il ne la chasse pas. Si l'on ne tient pas compte de ce tableau familial, l'entrée de Tartuffe comme personnage longuement attendu, décrit pendant deux actes entiers sans qu'il apparaisse sur la scène, ne peut pas être appréciée dans toute sa force, dans toute sa nécessité. Chez Molière aussi il y a quelque chose d'Orgon, quelque chose de ce même malheur, opprimé qu'il était, dans sa famille, par le *clan* des Béjart. Et il y a aussi chez Tartuffe quelque chose du beau Baron, ce jeune acteur que Molière gardait chez lui : les colères et les jalousies qu'il suscitait lui procuraient un certain plaisir.

Je veux dire que faire de Tartuffe un personnage bassement comique ne permettrait pas de comprendre les polémiques, les réactions, le bruit provoqués par la comédie. Il a donc une doctrine, sa doctrine. En province, il a peut-être fréquenté certains milieux religieux avancés, teintés de mysticisme. Sur le fond d'un tempérament sensuel comme le sien, sensible au contact de la chair, des souples étoffes de soie, toujours profondément troublé par les « merveilleux attraits de la félicité », ce mysticisme vague a pris racine et s'est solidifié en doctrine. On la lui avait enseignée pour d'autres usages, mais lui, jeune homme rusé, pensa l'utiliser comme une force capable d'assujettir une autre âme à la sienne, pour la vider de toute volonté. La plante de l'intelligence, avec les fleurs de la malice et du calcul, est née sur une terre grasse, faite pour nourrir tous les plaisirs du monde, on ne sait trop par l'œuvre de quel engrais rare.

Les âmes candides de la province qui lui avaient appris ces leçons très douces pour l'éduquer dans l'exercice de la contemplation, pour faire le bien et éviter le mal, n'auraient jamais soupçonné que leur enseignement allait être employé à éviter le bien et à faire le mal, en plaçant l'âme du disciple dans ce repos très profond dont elle ne sortirait plus.

Rendre un homme serein. Que veut-on de plus ? Chacun de nous donnerait aujourd'hui tout son patrimoine à celui qui parviendrait à le rendre heureux. À une époque de crise comme la nôtre, malheureusement personne n'y arrive. Tartuffe, en revanche, y parvient. Par quels moyens, par quelle thérapie, par quelle science ?

5. C'est le « problème » du *Tartuffe*. On a longuement fouillé dans ce qui se cachait sous l'apparence mondaine de l'hypocrite, du faux dévot. On a parlé de la doctrine des jésuites, et à un moment donné Tartuffe embrasse certainement leur casuistique lorsque, dans une réplique digne de Pascal, il parle d'une science qui desserre les liens de notre conscience selon ses besoins et corrige le mal de l'action par la pureté de nos intentions. Mais par d'autres aspects, il semble que les jansénistes eux-mêmes ne soient pas épargnés. Ainsi, il n'est pas difficile de retrouver quelques allusions à la Compagnie du

Saint-Sacrement et à ses « dévots », c'est-à-dire à ces gentilhommes en lutte contre toutes les manifestations de l'impiété. Dans la fureur d'y voir clair à tout prix, on est arrivé à identifier Tartuffe avec des figures réelles, qui ont existé réellement, sans jamais se rendre compte que le premier à être offensé par ces identifications prétendument précises eût été Molière lui-même. Il est alors préférable, pour une lente définition de la « doctrine », de s'adresser à celui qui l'a subie, Orgon, et qui, même brièvement, n'a pas manqué d'en illustrer les effets.

Au premier abord c'est une doctrine assez vague et qui vient de très loin. On pense à saint François de Sales, à son *Introduction à la vie dévote*. On pense à la nécessaire présence d'un conducteur, exigée dans ces pages, pour accomplir des progrès sur le chemin de la dévotion ; à la nécessité de la « retraite » spirituelle, afin de se purger de l'attachement aux péchés véniels et aux choses inutiles et dangereuses ; on pense aux affaires qu'il faut traiter avec soin, mais sans empressement ni soucis ; on pense au plaisir de la solitude. L'âme, à cause de la violence des tentations, tombe « en une défaillance totale de ses forces, et, comme pâmée, elle n'a plus ni vie spirituelle, ni mouvement », etc. Mais c'étaient des textes difficiles, qui requéraient de très hautes aptitudes spirituelles et qui menaient l'homme hors du monde. Le « mondain » Tartuffe avait besoin de textes plus simples et qui auraient contenu une pratique efficace et directe pour l'endoctrinement spirituel, moral, religieux, psychologique de ses propres victimes.

On respire dans les mots d'Orgon, à propos des suaves effets de cette fréquentation, une douce aura *quiétiste* : un quiétisme provincial, un quiétisme campagnard. Tartuffe, dans sa province, a peut-être suivi des enseignements qui allaient dans ce sens, des enseignements à la va-vite qui se trouvaient non pas dans de grands textes doctrinaires, mais dans des textes faciles, compréhensibles pour tous et qui pouvaient éveiller le désir de l'application aussi bien chez de grands que chez de petits personnages. Mais de quelle province Tartuffe arrivait-il à Paris ? Même Dorine ne nous le dit pas. Il n'est pas improbable qu'il vînt des campagnes du Sud de la France, où il y a beaucoup de soleil et des gens au tempérament sanguin. Et puisque les premiers symptômes des mouvements spirituels naissent souvent dans les provinces et éclatent ensuite dans les villes, il n'est pas improbable que Tartuffe ait entendu parler là-bas d'un personnage extraordinaire, qui avait étudié la théologie chez les dominicains, et qui était aimé et consulté comme un oracle. Il s'appelait François Malaval. Il était né en 1627. Il était aveugle et vivait à Marseille.

Lorsque Gassendi passa par Toulon, en 1650, il gagna Marseille et alla rendre visite à Malaval. Ainsi que Christine de Suède en 1656, celle-là même qui, si l'ambassadeur de France le lui avait accordé, aurait voulu faire représenter *Tartuffe* à Rome en 1666. Même le consul à Aleppe, François Picquet, s'était mis en voyage pour le connaître. Son nom, aujourd'hui presque complètement oublié, avait donc dépassé les limites de sa province. C'était, comme Tartuffe, un directeur laïque. Molière, a-t-il jamais entendu parler de lui ?

II

1. De l'automne 1645 jusqu'à décembre 1656, et même après, Molière ne fit que voyager de long en large dans le Sud de la France : Nantes, Toulouse, Albi, Narbonne, Pézenas, Grenoble, Montpellier. Il a probablement su que son Gassendi

était passé par là et était allé à Marseille pour parler avec Malaval. Il n'est pas improbable qu'un jour soit née en lui la curiosité d'y aller lui aussi, et qu'il l'ait connu. Certes, le petit livre, publié en 1664, dans lequel Malaval condensa la substance de sa doctrine, avait été longuement préparé par des conversations, des rencontres, des séances, peut-être par des discussions. Cette doctrine était déjà connue, en ses points essentiels, avant d'avoir été livrée à l'impression.

Si Molière connut Malaval, il faut exclure que son instinct comique, tout en poursuivant les premières images de ce qui allait devenir Tartuffe, ait voulu atteindre un personnage dont la doctrine avait, certes, des résonnances mondaines et suscitait même des curiosités élégantes et aristocratiques à la mode, mais que tous reconnaissaient comme inattaquablement candide et plein de charité chrétienne et d'amour de Dieu. Il fallait tout au plus condamner les dangers qu'une doctrine comme celle de Malaval, exposée de manière si élémentaire que chacun pouvait l'assimiler et la faire sienne, aurait provoqués si elle devait être utilisée par des individus rusés et peu scrupuleux, par des laïques sans retenue qui disposaient de la plus grande liberté. Molière, en composant *Tartuffe,* avait-il envisagé les dangers de cette doctrine avant même que, ayant pris de l'ampleur, elle ne s'appelât *quiétisme* ?

En effet, on reprocha très vite à la *Pratique facile pour élever l'âme à la contemplation* de Malaval d'expliquer une matière difficile en des termes familiers. Le danger consistait (comme le fait remarquer un de ses interprètes) dans le fait que tout « homme de bien », toute petite bonne femme, en se prétendant dévots, pourraient se précipiter dans la contemplation, et, devenus à leur tour des directeurs spirituels, apprendre aux autres, à leurs disciples présumés, à en faire autant : exactement comme il arriverait dans la maison d'Orgon, grâce à un « homme du monde » qui donne ses leçons en dehors de la juridiction religieuse de l'Église. Il était très facile de se déclarer, par une grâce particulière de Dieu, éloigné et détaché des sens et des passions, et d'embrasser le chemin de la contemplation. Il fallait que ces problèmes ne fussent pas uniquement compris par les « docteurs ».

L'expérience nous apprend, disait Malaval, que « les plus idiots et les plus simples sont quelquefois appelés à la contemplation ». C'est bien le cas d'Orgon que Tartuffe considère, comme il le dit à Elmire, un nigaud : « un homme à mener par le nez », qu'il a « mis au point de voir tout sans rien croire », ayant pour ainsi dire perdu le sens de la réalité. Dans l'étude de la contemplation, il ne faut donc pas aborder des sentiers tortueux, mais il faut s'engager dans la grande rue, sans plonger dans une sorte de mysticisme dangereux, sans céder à l'effort violent de devenir une brute ou une statue, sous prétexte de purifier l'âme et, comme certains en auraient la prétention, de la réduire à son état premier. C'est un danger que le vigilant Tartuffe ne court pas, et il n'a aucun intérêt à ce que son Orgon en subisse la contagion.

2. Saint François de Sales, en choisissant la forme du traité, s'adressait à un disciple imaginaire qui répondait au nom de Philothée. Ce nom était repris par Malaval, non pas pour écrire un traité, mais pour instituer un dialogue, le plus simple, le plus terre à terre possible, entre le directeur qui donne ses leçons, et le disciple en train d'écouter et qui intervient ensuite pour être éclairé quant à la nature de la contemplation et aux moyens pour la pratiquer. C'est cette forme dialogique simple qui explique le succès de la *Pratique*

facile, dans la rencontre entre deux personnages dont l'un a besoin de l'autre.

Et c'est aussi le dialogue simple, l'« entretien » vivant, qui explique le succès de Tartuffe auprès d'Orgon. Tartuffe était un homme à la culture limitée mais concrète, qui montrait même trop le don pour la prière, pour la consolation apportée par la charité et la contemplation qui élève l'âme et l'enflamme (comme dans la scène de l'église racontée par Orgon). C'était un homme qui, malgré l'ostentation apparente, donnait peu d'importance aux textes sacrés, aux sermons, aux lectures, aux saintes méditations, et accentuait les bienfaits que l'âme puisait du commerce direct avec son propre directeur spirituel, sans excès de doctrine, avec d'indubitables bienfaits auprès de celui qui garde l'esprit libre et l'âme sereine. Le disciple était ainsi empli d'un sentiment de gratitude envers le médecin de son âme malade, lequel était presque perçu comme un magicien dispensateur de douceurs. Et Tartuffe, avec une formidable intuition, a misé sur le cœur, là où la victoire lui paraissait plus sûre.

Malaval n'excluait pas que l'âme, soumise à une telle pratique, n'allât au-devant d'une sorte d'inquiétude qui ne venait ni d'une indisposition du corps, ni de l'humeur mélancolique, ni même de l'oisiveté. C'est l'inquiétude d'Orgon au sein de sa famille, qui demande à Tartuffe d'en être délivré. Il ne veut pas d'un livre, il veut un homme. Mieux encore si cet homme est jeune. Il y a tout de même une raison pour que dans la comédie Tartuffe ne soit pas un vieillard ou un aveugle comme Malaval. La piété est ce sentiment de supériorité qui s'abaisse à reconnaître son semblable dans un être socialement inférieur ; mais, dans ce cas, un être débordant de rares vertus et d'un excellent appétit (peut-être parce qu'en d'autres temps il n'a pas suffisamment mangé à sa faim, *le pauvre homme!)*. Cette piété est la porte qui ouvre le cœur d'Orgon, mais que Tartuffe est prêt à refermer rapidement pour que, dans la très secrète chambre où ils se sont enfermés, loin des autres, le maître devienne son patient et sa victime.

3. Malaval nous dit quelque chose de cette forme de Nirvana suave dans lequel Orgon est tombé. « Un attrait de douceur et de dévotion emporte l'âme, écrivait-il, l'arrachant comme de force vive aux chaînes de la méditation et la mettant dans un repos dont elle ne peut plus sortir [...] Elle cherche la solitude, les conversations ne lui plaisent plus [*et le rythme de vie de la maison d'Orgon, entre les visites, les rencontres et les causeries, sous le conseil de Madame Pernelle, devrait changer*], les livres l'ennuient [*et je pense qu'il l'ont toujours ennuyé*]. Toutefois cet ennui vient de ce qu'elle perd une suavité dont les livres et les conversations ne lui parlent pas. »

Mais la crise était plus grave pour Orgon. La nécessité que Tartuffe vienne vivre dans sa maison naît de la crainte que, une fois abandonné à la merci de ses propres affects, sa névrose familiale puisse de nouveau reprendre son chemin. L'habitude prise à l'exercice de la contemplation s'allie au plaisir de faire le bien : faire le bien à un misérable qui vivait dans l'indigence extrême, lui redonner des forces, le nourrir. La satisfaction qu'il éprouve à entendre dire par Dorine que Tartuffe mange avec un excellent appétit, qu'il va très bien et qu'il se porte magnifiquement, repose sur la certitude d'avoir fait le bien à qui lui a rendu la paix. Aucune doctrine ne le soutient ; rien qu'un sentiment. En identifiant l'image du bien à la figure de son directeur spirituel, il est évident que tout le reste – femme, famille – doit passer au second plan.

La *Pratique* de Malaval apprenait sans cérémonies les nombreuses façons de chercher Dieu, de le contempler, de jouir de sa présence. Mais Orgon a fait plus. Il a remplacé Dieu par son directeur. Son Dieu, c'est Tartuffe. Il ne voit que lui. C'est là sa folie. Et que deviendra cet homme à la fin de la comédie, quand il aura perdu son personnage, quand il aura brisé son idole ? Rentré dans ses biens, ayant réintégré ses possessions, son souffle de soulagement sera de courte durée. La vie familiale (après la chute du dernier rempart de sa résistance, sa mère) deviendra pour lui encore plus insupportable. Chassera-t-il la cruelle Dorine ? Si auparavant la destruction de toute sa famille n'était rien pour lui, dorénavant il ne pourra vivre sans famille et ne pourra vivre dans la famille.

III

1. Tartuffe languissait dans les prisons royales. Le petit livre de Malaval continuait à avoir du succès en France, à Rome, à Gênes, à Venise. Giovanni Bona, futur cardinal, écrivait à l'auteur qu'il avait lu deux fois son opuscule, et bien qu'il se considérât encore encombré des images du monde et très éloigné de la perfection, son âme était inondée d'une joie intime. L'humble opuscule de l'aveugle de Marseille ouvrait le chemin au succès d'un autre livre, d'autant plus célèbre qu'il suscita une grande clameur dans tout le monde chrétien. C'était le *Guide spirituel* de l'espagnol Miguel de Molinos, publié en italien à Rome en 1675, « qui dégage l'âme et la conduit par le cheminement intérieur à atteindre la parfaite contemplation et le riche trésor de la paix intérieure ».

Molière était déjà mort, mais puisque les grands personnages du théâtre vivent même après que le rideau s'est fermé sur leurs vicissitudes tristes ou joyeuses, imaginons que quelqu'un, quelque geôlier vénal ait amené en cachette, dès sa traduction en français, une copie de ce *Guide* à Tartuffe, et qu'une autre copie soit tombée entre les mains du tourmenté Orgon. On peut les imaginer tous les deux, lisant ce texte, et, levant pensivement la tête au-dessus du livre, le regard dans le vide, Orgon a dû s'exclamer : « Ce Molinos est un disciple de Tartuffe ».

Il avait confessé à Cléante :

> Qui suit bien ses leçons, goûte une paix profonde,
> Et comme du fumier regarde tout le monde.

Et maintenant, il lit chez Molinos : « L'âme, ainsi annihilée et renouvelée dans une parfaite nudité, ressent dans sa partie supérieure une paix profonde et une savoureuse quiétude qui l'amène à une si parfaite union d'amour qu'elle s'en réjouit toute. Cette âme est parvenue déjà à un tel bonheur qu'elle ne veut ni désire que ce que veut son aimé. Mue par cette volonté, elle se conforme à tout ce qui advient, consolation, angoisse, en même temps qu'elle jouit de réaliser en toute chose la volonté de Dieu ».

On lui avait reproché son aveuglement total devant Tartuffe et de l'avoir choisi comme directeur spirituel. Mais personne ne savait ce qu'étaient sa vie et ses ennuis, les contrariétés de la vie pratique et spirituelle dont il avait souffert, le vacarme qui régnait dans sa bruyante famille. Il était allé vers lui comme vers sa délivrance, ne sachant pas vraiment quel genre d'homme c'était. Et quant à la discipline à laquelle il s'était soumis, Molinos lui donnait raison : « Lorsque l'âme va à la recherche de son chemin avec des craintes et qu'elle souhaite se délivrer totalement d'elles, le moyen le plus sûr est la soumission à un père spirituel expert, parce qu'il découvre clairement de sa lumière intérieure quelle est la tentation et quelle est l'inspiration, et qu'il distingue les mouvements qui naissent de la nature, du démon, de l'âme elle-même, laquelle doit s'assujettir en tout à celui qui possède l'expérience et peut découvrir en elle les attachements, les petites idoles et les mauvaises habitudes qui empêchent son envol ; car de cette manière, non seulement elle sera délivrée des ruses diaboliques, mais elle avancera plus en une année qu'elle ne l'eût fait en mille ans avec un autre guide inexpérimenté ».

Qui, plus que Tartuffe, possédait de l'expérience ? Qui, plus que lui, semblait à même de le délivrer totalement des craintes dans lesquelles il était tombé ? Et pourquoi lui avait-on reproché sa soumission aveugle ? « Moi, répliquait-il, j'ignorais qui était vraiment Tartuffe, j'étais seulement attentif aux bénéfiques effets que l'habitude de son enseignement exerçait sur moi. » Et n'était-ce pas de ces effets qu'il fallait s'occuper ? Ne devait-il pas obéir à la force de la soumission avec laquelle Tartuffe parvenait à faire plier sa volonté ? Molinos parle clairement dans ce sens : « Qu'importe que tu aies le meilleur directeur du monde si tu ne possèdes pas une vraie soumission ? Tout expert qu'il soit et bien qu'il connaisse le mal et son remède, il ne peut appliquer le traitement efficace qui convient le mieux pour nier ta volonté ».

2. Nier la volonté. Il avait réussi avec l'aide de Tartuffe à déraciner – comme l'enseigne Molinos – la rébellion de sa volonté. Alors qu'il vivait une vie tourmentée, il a désiré la résignation totale, comme un « joug suave qui nous initie aux régions de la paix et de la sérénité », sachant que la rébellion de notre volonté est la cause principale de notre inquiétude.

Pourquoi lui reprochait-on alors sa passivité ? Ne retrouvait-il pas dans le *Guide* tant lu et tant aimé, même par des personnages de haut rang, que la simple, pure, infuse, passive contemplation était une manifestation spirituelle et intime que Dieu donne de soi, de sa bonté, de sa paix et de sa douceur ? La faute dont il s'était souillé consistait dans le fait de confondre la paix de Dieu avec la paix que lui donnait Tartuffe. « Je ne m'occupais, disait-il – et c'était là son péché –, que de ce que j'éprouvais, de ce que je sentais. » Cléante finit par lui reprocher de ne pas éprouver de sentiments humains. Il avait peut-être raison. Il avait dépassé la limite. Il avait été soumis au lavage des sentiments par le miel de la sainteté.

> Il m'enseigne à n'avoir affection pour rien,
> De toutes amitiés il détache mon âme,
> Et je verrais mourir frère, enfants, mère et femme,
> Que je m'en soucierais autant que de cela.

Mais avait-il vraiment péché en cela ? Au douzième chapitre du troisième livre du *Guide* ne lisait-il pas que cette « paix profonde » qu'il avait conquise consistait « en un oubli de toutes les créatures, en un détachement et une parfaite nudité de tous les affects, désirs et pensées et de sa propre volonté » ? Molinos n'allait certes pas jusqu'à affirmer que même la mort d'un fils ne réussirait pas à le troubler. Mais il était comme plongé dans un néant qui l'entraînait loin en dehors des affects, ne voyant rien d'autre que Tartuffe, le plaisir de faire le bien à travers sa personne, de l'attacher de plus en plus à soi, à sa famille, car à travers Tartuffe seulement sa famille continuait à avoir, pour lui, un intérêt.

3. Le Néant. Avec quelle jouissance de l'âme il lisait encore dans le livre : « Le chemin pour parvenir à cet état élevé de

l'âme reformée, par quoi on puise directement au plus grand bien, à notre origine première et à la plus grande paix, c'est le Néant. Cherche, ô âme, d'être toujours ensevelie dans cette misère. Ce Néant et cette misère connue sont le moyen par lequel le Seigneur œuvre dans ton âme. Habille-toi de ce Néant et de cette misère, et fais en sorte que cette misère et ce Néant soient continuellement et ton soutien et ton repos ». Pour rejoindre ce Néant, la misère avait cherché à se délivrer de ses possessions, et, puisque le bien de sa vie était de faire le bien, il l'avait fait à celui auquel il devait la paix. « Si tu restes enfermé dans le Néant, là où n'arrivent pas les coups de l'adversité, il n'existe rien qui pourra t'affliger, rien qui pourra t'inquiéter. »

On lui avait reproché d'avoir pris le parti de Tartuffe contre son fils dans la scène de la tentation, et d'avoir cru non pas les autres, mais les paroles de son protégé, sa confession, ses *mea culpa*. Mais pour quelle raison n'aurait-il pas dû croire un homme tenté par la beauté d'une femme, fût-ce même la femme de son bienfaiteur, tentation dont il cherche à se délivrer en avouant son péché ? Là aussi le cher *Guide* le secourait, lui venait en aide, lui disait qu'il ne s'était pas trompé. « Tu dois savoir, lisait-il dans le livre, que ton plus grand bonheur est la tentation ; c'est pourquoi, plus elle t'oppresse, plus tu dois t'en réjouir en paix, au lieu de t'attrister, et savoir gré à Dieu du bienfait qu'il t'envoie. »

C'était donc un bienfait de Dieu que Tartuffe fût tenté par la jeune et belle Elmire, sa seconde femme. « Les Saints, poursuivait Molinos, pour arriver à être tels, passèrent par ce pénible moyen de la tentation [*et de cette peine témoigna Tartuffe dans sa confession*], et plus de tentations ils durent subir, plus ils devinrent Saints. [*Si Elmire eût été moins belle, Tartuffe eût perdu une excellente occasion de devenir l'un de ces saints très soumis à la tentation.*] Et même après qu'ils sont parvenus à être saints et parfaits, Dieu permet qu'ils soient encore tentés par des tentations véhémentes, pour que plus grand soit leur triomphe et pour réprimer en eux l'esprit de la vanité, ou pour qu'ils n'aient pas l'occasion de s'en laisser pénétrer, en les retirant, humiliés et attentifs, de l'assurance dans laquelle ils sont. » C'est bien sur cette base solide et vénérable que s'organise, à la fin du troisième acte, le triomphe de Tartuffe.

4. La consolation d'Orgon n'eut qu'une courte durée. Il avait essayé de se défendre à l'aide d'une doctrine que d'ici peu on allait appeler quiétisme. Le texte auquel il renvoyait devint très suspect. Quelques vagues réminiscences de doctrines mystiques, des pensées de sainte Thérèse, de saint François de Sales, quand il parlait lui aussi de la « sainte indifférence » et des bienfaits qu'elle pourrait apporter aux contemplatifs, jusqu'à leur salut éternel, rentraient dans la substance des textes de Malaval et de Molinos, mais nourrissaient une nouvelle doctrine qui était une déformation dangereuse de la première, un mélange de sensualité et de pragmatisme rusé, qui, séduisant les esprits, à une époque de névrosés, de vrais et de faux malades, les plongeait dans la mer de la tranquillité, dans une sécurité extrême, dans le silence intérieur qui, comme le disait Madame Guyon, « ne doit pas se charger de prières vocales », tandis que l'âme doit se laisser émouvoir par l'esprit vivifiant qui est en elle, suivant le mouvement de son action, et non pas celui d'une autre. C'était « l'Oraison de quiétude ».

Pendant des années Molinos convainquit, enthousiasma. Il fut lu et relu. Les éditions et les traductions de son *Guide* se suivirent rapidement. Hommes et femmes de condition modeste aimaient ce directeur si simple, si poétique, si élémentaire.

Comme Madame Pernelle, ces femmes sentaient qu'elles baignaient, elles aussi, dans une atmosphère si bénigne de sainteté. Jusqu'au jour où Molinos, à la suite de dénonciations d'archevêques, de cardinaux, fut arrêté par les sbires pontificaux.

Il subit ce procès qui ne fut jamais fait à Tartuffe. Et au cours des interrogatoires, Molinos avoua qu'une grande partie de sa vie avait été tachée par la concupiscence et par la luxure. Plusieurs disciples l'accusèrent de leur avoir appris une véritable théorie de la tentation, qui supprimait toute responsabilité de l'âme. Et Molinos se défendait comme Tartuffe s'était défendu dans la scène de la tentation. Que ces violences sont permises par Dieu pour purifier l'âme des contemplatifs, pour la transformer. Il défendait la passivité qui semblait la marque de la niaiserie d'Orgon.

Le conflit s'élargit. On condamna les *Maximes des Saints* de Fénelon, accusé d'être devenu le théologien des nouveaux mystiques. Bossuet, dans la véhémence de ses dénonciations, fit quelques confusions en accusant Malaval d'être un disciple de Molinos, alors que le contraire était vrai. Le quiétisme fut condamné par une bulle pontificale. Molinos finit sa vie en prison. La Bruyère, dans ses dialogues entre un directeur et une pénitente, reprit le thème de l' « oraison du simple regard ». Mais personne, ni avant ni après, lecteurs ou interprètes, ne songea à saluer dans ce fripon de Tartuffe, que l'on continuait à malmener de tous côtés, un des obscurs initiateurs de la doctrine du quiétisme en France, le précurseur d'une méthode par laquelle on guérissait la maladie du siècle : l'anxiété, la névrose.

[1975]

Rire et mélancolie du dernier Molière

Altro non è la pazzia
che malinconia [1].
Molière

I

1. Grand auteur comique plongé dans son « jeu de théâtre », Molière est autobiographiquement absent de son œuvre. Il est hors du tableau. Quand il y apparaît, sans masque, avec son nom, c'est uniquement en qualité d'acteur, de chef de troupe. Son absence, volontaire et parfois rigoureuse, n'engendre pourtant pas dans l'architecture du spectacle le jeu de surfaces limpides et lumineuses. Elle y laisse au contraire des traces noirâtres, des ombres vives. C'est l'ombre de celui qui s'est éloigné de la scène juste avant le début du spectacle, ombre qui fuit à l'instant même où l'on croit l'avoir reconnue et presque saisie : « C'est lui, c'est lui, c'est Molière ».

Cette dialectique de l'absence-présence, qui n'est pas un des motifs les moins fascinants de son théâtre, est animée d'une volonté secrète qui n'est jamais entièrement réalisée : faire de soi-même, tantôt éclairé d'une lumière latérale, tantôt déformé par le rire, un personnage prédestiné à se confesser, à accuser, à se défendre. Le héros tragique du dix-septième siècle, relé-

1. La folie n'est autre chose que mélancolie. [N. d.T.]

gué dans des cieux intemporels, œuvre dans une réalité incommensurable. Le héros comique vit dans un monde quotidien : il se débat dans une dimension contemporaine et tout à fait physique : amour, argent, maladie. Et le destin de Molière fut de rester sur scène alors même qu'il se tenait à l'écart. Héros d'une histoire familiale on ne peut plus obscure, qui résonne aujourd'hui encore d'interrogations sans réponse, parcouru par une décharge de sentiments qui donnait dans la frénésie, blessé à mort à plusieurs reprises par ses ennemis, il se servit du théâtre comme salut et damnation, arme de défense et d'attaque, source de délivrances et de terribles confessions voilées, qui laissent cependant des doutes chez celui qui lit ou qui écoute. Le rideau fermé, tout bon spectateur sent qu'il n'avait pas encore tout dit. Et il se demande : de quel côté est Molière ?

C'est peut-être pour cela aussi que, mis à part les créations immortelles, et une fois abandonné le costume noir d'Arnolphe ou le « jupon » en satin aurore de Sganarelle, aucun auteur comique n'est, comme Molière, devenu lui-même personnage, et n'a continué, jusqu'à nos jours, à vivre sur la scène. Comme si, acteur de sa propre vie, il était condamné à représenter, continuellement, en raison d'une sentence sans appel, sous les lumières de la rampe, les côtés les plus nobles et plus obscurs de son existence : haines, rancœurs, défaites et victoires, comme l'intimité domestique la plus trouble, avec des soupçons d'homosexualité et d'inceste. C'est la tentative extrême et posthume pour défendre ou traîner encore une fois scandaleusement sur la scène celui que les dénonciations, les libelles, les accusations publiques et privées n'avaient réussi à briser.

C'est un procès éternel qui se ferme et qui s'ouvre, non dans la salle d'un tribunal mais sur une scène, avec des défenseurs et des accusateurs, avec des condamnations et des absolutions. Quand Molière était encore en vie, cela fut tenté par Le Boulanger de Chalussay ; depuis lors, des écrivains les plus divers, de Brécourt à Goldoni, à Sébastien Mercier, à l'abbé Chiari ; de George Sand à Gerolamo Rovetta, à Richepin, à Maurice Donnay, à Boulgakov, ont persévéré plus ou moins brillamment dans cette expérimentation, pour le défendre ou pour le sanctifier. Et, près du père ressuscité, on a assisté à la brève résurrection de ses enfants célèbres, pour une deuxième vie contradictoire, avec des interrogations tout aussi obsédantes, depuis *Le Philinte* de Fabre d'Églantine à la *Conversion d'Alceste* de Courteline. En somme, tout ce qui appartint à Molière se répand dans ce jeu éternel, éclairé de lumières de plus en plus pâles.

2. Ceux qui adorent Molière, déchaînés dans la défense de l'honorabilité de leur protégé, seront scandalisés si nous donnons dans nos pages quelque crédit à plusieurs insinuations d'un de ses amusants diffamateurs : Le Boulanger de Chalussay. Ils souhaiteraient placer leur auteur dans une cage de verre à toute épreuve, comme un monstre sacré. Nous pensons que Molière doit encore aujourd'hui se promener tranquillement parmi nous, sans tueurs ni défenseurs. Et, pour commencer, avouons que c'est justement à la lecture d'*Élomire hypocondre (1670),* la comédie de Le Boulanger de Chalussay, que nous avions été frappés par une affirmation curieuse. Molière aurait plusieurs fois caressé l'idée de faire son autoportrait ; il était même allé jusqu'à le déclarer en publie. Chalussay écrit :

« Car il est constant que tous ces portraits qu'il a exposés en vue à toute la France, n'ayant pas eu une approbation générale comme il pensait, et au contraire, ceux qu'il estimait le plus ayant été frondés en bien des choses par la plupart des plus habiles, dont il a jeté la cause sur les originaux qu'il avait copiés, il s'est enfin résolu de faire le sien, et de l'exposer en public, ne doutant point qu'un tel chef-d'œuvre ne dût charmer toute la terre. Il a donc fait son portrait, cet illustre peintre, et il a même promis plusieurs fois de l'exposer en vue, et sur le même théâtre où il avait exposé les autres ; car il y a longtemps qu'il a dit en particulier et en public, qu'il s'allait jouer lui-même, et que ce serait là que l'on verrait un coup de maître de sa façon. J'attendais avec impatience et comme les autres curieux un spectacle si extraordinaire et si souhaité, lorsque j'ai appris que pour des raisons qui ne me sont pas connues, mais que je pourrais deviner, ce fameux peintre a passé l'éponge sur ce tableau ; qu'il en a effacé tous les admirables traits ; et qu'on n'attend plus la vue de ce portrait qu'inutilement. J'avoue que cette nouvelle m'a surpris et qu'elle m'a été sensible ; car je m'étais formé une si agréable idée de ce portrait fait d'après nature, et par un si grand ouvrier, que j'en espérais beaucoup de plaisir : mais enfin j'ai fait comme les autres, je me suis consolé d'une si grande perte, et afin de le faire plus aisément, j'ai ramassé toutes ces idées, dont j'avais formé ce portrait dans mon imagination, et j'en ai fait celui que je donne au public. »

On tente ici de dessiner un portrait sur le vif, qui déborde le cadre de la vie et de l'œuvre. On tente de briser, même si le but est diffamatoire, la loi de fer des réticences, des propos dits à voix haute, puis étouffés, puis démentis selon la dialectique de ses personnages. Mais on peut toujours se demander : est-ce que Molière a éprouvé la nécessité de devenir lui-même sur la scène, de s'investir d'une conscience qui lui fût propre, qui fût une conscience dramatique, et de répondre à ses ennemis par une image faite de rire et de souffrance ? Est-ce qu'il a senti le besoin de se libérer des engrenages bruyants du personnage comique, et de ne plus cacher son propre visage derrière les mots d'un domestique ou d'une pastourelle ou d'un chantre mélodieux ? Les confessions d'un auteur comique, quand elles existent, sont fragmentaires, et n'appartiennent pas à un personnage unique. D'autres masques, d'autres figures déroutent celui qui les poursuit. Pour quelle raison Molière passa-t-il l'éponge sur son portrait ? Même en admettant que les affirmations de Chalussay répondent à la vérité, cette opération, à la fois gaie et désespérée, aurait signifié la fin de sa vie d'auteur et d'acteur. Les lumières de la scène auraient brûlé jusqu'à son image même, dans une lueur dramatique.

3. L'histoire d'*Élomire hypocondre* se déroule sur scène avec une efficace indubitable, sur deux thèmes récurrents : la maladie et la jalousie. Le deuxième thème, gardé en sourdine, est absorbé et assimilé, comme s'il était la cause et la raison du premier. Chalussay confond volontairement la vie privée et la vie théâtrale de Molière, cherchant dans l'une la justification de l'autre, et dans son œuvre, dans les lambeaux bruyants d'une existence vécue et masquée, un document véridique et accusatoire.

Le grand thème du « cocu », d'ancienne tradition, avait été si richement exploité qu'il était de plus en plus difficile d'en reconnaître les ascendances littéraires. Depuis le doute d'en être un, jusqu'à la crainte de le devenir, on percevait le cheminement d'une névrose vers laquelle était en train de se diriger le personnage comique : de Sganarelle, masque typique de

Molière, expression peut-être du « desengaño », trahi, déçu, jusqu'à l'explosion de bile accumulée par le personnage qui a désormais jeté son masque : Alceste (1666). Avant Sganarelle, et après Alceste, il y a toute une variation sur le « cocuage », du « cocuage » céleste (*Amphitryon*) à celui du pauvre mari trompé, exposé à la risée publique, décrit à grands coups de pinceau et avec un comique féroce. Et le jeu du masque prend ici la forme d'un avilissement devant le public et d'une autopunition par le rire.

Ceux qui ont voulu voir dans *Amphitryon* une allusion à la relation du Roi avec Madame de Montespan, eurent des mots très durs pour notre poète, lequel n'avait aucune pitié pour les victimes d'un désordre qui était aussi son tourment. Dans d'autres pièces, la haine envers la femme prend des expressions paradoxales. Georges Dandin arrive à soupçonner sa femme d'avoir voulu se suicider : par haine envers lui, pense-t-il, elle s'est tuée pour le faire pendre. Cette situation à la Boccace parvient ici à une forme d'exaspération comique. Mais la farce qui inaugura sa carrière d'homme de théâtre, *La Jalousie du Barbouillé,* développait déjà les motifs que Molière acteur et auteur traîna pendant toute son existence.

4. Son destin fut qu'un vieux thème comique, déployé sur la scène comme un éventail très bariolé de situations et de types, devînt le thème dramatique de sa vie. Et lorsqu'il devint le thème de sa vie, au cours des rapports de plus en plus complexes et turbulents avec sa femme jeune et belle, Armande, il n'en demeura pas moins l'un des motifs de son théâtre ; et l'objet de cette jalousie, le beau profil et la grâce de la femme qu'il avait épousée, était là aussi sur scène ; il s'offrait à lui, dans son rôle d'acteur, sous la forme d'une actrice, sur le

théâtre comme dans la vie. La Célimène du *Misanthrope* était Armande Béjart, femme et actrice, dans tous ses conflits avec son amoureux, Alceste-Molière, mari et acteur, obligé de faire rire, de se représenter dans son égoïsme, dans son intolérance neurasthénique, et de sauver sur la scène, dans la lutte amoureuse, Célimène, victime et bourreau.

Ce fut le destin de Molière de devoir répéter à son ami Chapelle, avec un tout autre esprit, les mots que le Barbouillé de la *Jalousie* avait prononcés, comme si le théâtre l'avait brutalement poussé vers la réalité de la vie, tels certains mauvais masques qu'on ne peut plus s'arracher du visage une fois qu'on les y a collés, comme si l'existence était obligée de mimer dramatiquement une situation comique. « Il faut avouer, avait confessé d'un air désolé le Barbouillé à son public, que je suis le plus malheureux de tous les hommes. J'ai une femme qui me fait enrager: au lieu de me donner du soulagement et de faire les choses à mon souhait, elle me fait donner au diable vingt fois le jour... » Et Molière, quelques années plus tard, répétera ces mêmes mots à son ami Rouhault, avec fatigue et résignation, avec la voix dolente d'une âme qui n'ignore pas que le tort était aussi de son côté: « Je suis le plus malheureux de tous les hommes [...] et je n'ai que ce que je mérite [...] J'ai cru que ma femme devait assujettir ses manières à sa vertu et à mes intentions; et je sens bien que dans la situation où elle est, elle eût été encore plus malheureuse que je ne le suis, si elle l'avait fait. Elle a de l'enjouement, de l'esprit; elle est sensible au plaisir de le faire valoir: tout cela m'ombrage malgré moi. J'y trouve à redire; je me plains ». C'est comme la rétractation d'Alceste.

5. Mais il avait cependant conservé l'ambition de faire de la jalousie un thème héroïque, l'ambition de représenter des

scènes violentes, non parmi les pauvres bourgeois ou les petits comédiens, mais parmi les princes d'Espagne, qui eussent parlé en vers comme dans une tragi-comédie de Corneille : *Dom Garcie de Navarre*. Ce fut une tentative dont les conséquences désastreuses durent peser sur les grands rêves de Molière, acteur et auteur tragique. Il comprit qu'il était condamné à faire rire, que la jalousie devait rester un thème comique. Il le démontra avec *L'École des femmes* et avec *Le Misanthrope*. Et, comme dans les patrimoines gaspillés dont on essaie de sauver ce qui est encore utilisable, quelques objets qui pourraient encore servir dans une autre maison pour d'autres fonctions, des groupes entiers de vers du *Dom Garcie de Navarre* sont passés, tels quels ou avec de légers changements, dans *Le Misanthrope* (comme dans *Tartuffe*, dans *Amphitryon,* dans *Les Femmes savantes*). Quand Alceste lance sa violente offensive contre Célimène

> Que toutes les horreurs dont une âme est capable
> À vos déloyautés n'ont rien de comparable,
> Que le sort, les démons, et le Ciel en courroux,
> N'ont jamais rien produit de si méchant que vous,

il ne fait que réciter en habits modernes, comme un écho qui résonne encore, les vers mêmes qu'avait récités, dans une atmosphère héroïque, le prince jaloux Dom Garcie de Navarre. En ces mêmes années, un narrateur, et non pas un auteur de théâtre, portera ce thème jusqu'aux limites du tragique, jusqu'à la frontière avec la folie : Madame de La Fayette dans l'*Histoire d'Alphonse et de Bélasire* (1670). « Vous avez perdu la raison, Alphonse », dit Bélasire. Et Alphonse, jaloux d'un mort, et sûr que ce mort, s'il avait vécu, aurait pris sa place auprès de Bélasire, en un désir métaphysique de possession et n'étant plus « maître de ses sentiments », réplique à sa bien-aimée : « Il est mort peut-être persuadé que vous l'auriez aimé s'il avait vécu. Ah ! Madame, je ne saurais être heureux toutes les fois que je penserai qu'autre que moi a pu se flatter d'être aimé de vous ».

Entre-temps, *La Jalousie, Les Chagrins, Les Soupçons* entrent, travestis en d'élégantes personnifications et sur un rythme vif de danse, dans le ballet sur *Le Mariage forcé.*

II

1. La jalousie était chez Molière le symptôme d'un état plus grave. Elle était la fleur livide d'une plante minée à ses racines. Des témoignages qui vont dans ce sens, de la part de ses amis comme de ses ennemis, ne démentissent pas une réalité qui pointe parfois derrière de sombres amas de nuages. « Le ciel s'est habillé ce soir en Scaramouche », dit le valet Hali, préfigurant Watteau et Verlaine, dans *Le Sicilien* (1667), indiquant aux musiciens un ciel aussi noir qu'un four où pas même une étoile ne montre le bout de son nez. Noir, donc, comme le costume de Scaramouche, noir comme l'habit d'Aquilante dans *Les Plaisirs de l'Isle enchantée* (1664). Noir comme la bile d'Alceste. Noir comme la mélancolie de Molière.

> La Nuit a ses beautés de même que le jour.
> Le Noir est ma couleur, je l'ai toujours aimée.

L'auteur d'*Élomire hypocondre* installe Molière dans une ambiance familiale qui, pour une fois, n'est pas déchirée par les habituelles confusions domestiques. La femme est amoureuse, préoccupée par la maladie de son mari. Mais il s'agit d'une tranquillité qui, selon le terrible diffamateur Chalussay, repose sur une scandaleuse méthode d'éducation des femmes. La « requête » présentée au Roi contre Molière par l'acteur Montfleury était connue de tous, à cause de la rumeur qu'elle provoqua. Avec beaucoup de sollicitude, Racine, par une lettre de 1663, en informait l'abbé Le Vasseur : « Il l'accuse d'avoir épousé la fille, et d'avoir autrefois couché avec la mère » (le fils de Racine aggravera la position de Molière en corrigeant : « sa propre fille »).

Élomire est plus sûr qu'Arnolphe quant à la pureté d'Agnès, dans *L'École des femmes,* parce que plus sûre est la méthode de son éducation :

> Qui forge une femme pour soi,
> Comme j'ai fait la mienne, en peut jurer sa foi.

Et à celui qui lui répond :

> Mais quoi que par Arnolphe, Agnès ainsi forgée,
> Elle l'eût fait cocu, s'il l'avait épousée !

il réplique :

> Arnolphe commença trop tard à la forger ;
> C'est avant le berceau qu'il y devait songer,
> Comme quelqu'un l'a fait.

(Et il n'y a aucun doute que ce fut ce court dialogue qui convainquit Molière d'intenter contre Chalussay un procès devant le Parlement de Paris.)

Mais l'incertitude de Molière-Élomire ne se reflétait plus sur la conduite de sa femme. Il se repliait sur lui-même, sur ses propres malheurs, sur ses nerfs. Quand l'auteur parle d'hypocondrie, il se réfère à une maladie dont les amis de Molière étaient bien au courant. Élomire est un fou en proie à la terreur de se sentir malade. C'est la première représentation de la folie d'Argan, du *Malade imaginaire*. Même en admettant que tout soit faux dans la comédie de Chalussay, qu'elle ne s'insère point dans l'histoire de sa vie (ce que je récuse), elle intéresse au moins l'histoire de son théâtre, la naissance de son dernier personnage. Derrière le dense roman de Molière, il est impossible de ne pas reconnaître la trace exigue de la silhouette d'Élomire, pâle, maigre, creusée, à l'« esprit gâté », à l'« air triste » et à l'« humeur chagrine », victime d'accès – dit sa femme – « qui passent la folie », en proie aux fantasmes et aux hallucinations !

Dans son optimisme de femme, Isabelle est convaincue que son mari croit être malade mais qu'il est en bonne santé. Il est donc fou, et il faudrait, comme tel, « le mener dans l'hôpital des fous ». Et dans leurs subtiles disputes, les médecins sont amenés, devant le patient, à assimiler le *fou* au *bouffon,* comme étant des figures identiques, inhérentes à la profession du comique, aussi bien chez celui qui apprend, que chez celui qui joue ce qu'il a appris devant le public. Quand Molière suit l'enseignement de Scaramouche qui, un miroir à la main, lui apprend « ces gestes contrefaits, cette grimace affreuse » et

> Il n'est contorsion, posture ni grimace,
> Que ce grand écolier du plus grand des bouffons,
> Ne fasse et ne refasse en cent et cent façons :
> Tantôt pour exprimer les soucis d'un ménage,
> De mille et mille plis il fronce son visage ;
> Puis joignant la pâleur à ces rides qu'il fait,
> D'un mari malheureux il est le vrai portrait...,

il est un *fou*. Mais il est un *bouffon* quand il joue. Et si l'acteur, presque hors de lui, incarne la triste figure d'un mari jaloux et trompé, cherchant dans le vide ce qu'il craint de rencontrer et de connaître, la rage au cœur, l'écume à la bouche, on ne sait pas trop où s'arrête la fiction et où commence la vérité.

Les deux images sombres de Scaramouche qui enseigne et d'Élomire qui étudie, la bouche ouverte, les bras au-dessus de la tête et le visage creusé, devant un public uniquement composé de perruques, dans l'eau-forte de Weyen qui accompagnait la première édition de la comédie de Chalussay (1670), donnent presque le sentiment non d'une « répétition » mais d'une imitation de la folie. On perçoit quelque chose de diabolique et de sinistre. Le diable est une figure comique. « Les satyres, qui étaient à l'origine des démons caprins, rappelle Kris, la silhouette de Pulcinella qui dérive probablement des dances des "coqs", les diables, comiques des mystères [...] sont tous des exemples très clairs d'anciens démons à présent travestis en bouffons. »

2. Il est certain que le Molière des dernières années plaisante de plus en plus avec la douleur et la maladie. Il fait rire les autres avec ses soucis domestiques. Il porte sur la scène, comme s'il voulait les exorciser par le rire, ces redoutables, lugubres et comiques messagers de la mort, habillés de noir, parés d'instruments de torture, dont il n'ignorait pas la puissance funeste : les médecins.

La scène devenait le théâtre d'un duel comique entre le patient (la victime) et ses bourreaux. « Les médecins font assez souvent pleurer, pour qu'ils fassent rire quelquefois » disait le Roi, qui les connaissait. Et Chalussay ne renonce pas, dans sa description, à cet effroyable portrait d'un homme bouleversé par la toux, qui est Molière :

> Et, sans exagérer, je vous puis dire aussi
> Qu'homme n'a plus que moi de peine et de souci.

Vous en voyez l'effet de cette peine extrême,
En ces yeux enfoncés, en ce visage blême,
En ce corps qui n'a plus presque rien de vivant,
Et qui n'est presque plus qu'un squelette mouvant.

Et au médecin qui lui demande où il souffre le plus, il répond :

Partout également, jusques dans les jointures :
Mais ce qui plus m'alarme, encor qu'il le dût moins,
C'est une grosse toux, avec mille tintoins
Dont l'oreille me corne.

Malgré la complaisance maligne avec laquelle le grand bouffon malade est observé, le portrait n'est pas très éloigné de la vérité. À quelque temps de là (en février 1673) les faits donnèrent raison à Chalussay. Molière mourait. Et cette toux était devenue un « jeu de théâtre » à partir du moment où elle s'était faite entendre avec insistance, c'est-à-dire depuis 1668. Dans *L'Avare*, à la flatteuse Frosine qui fait des louanges sur le corps agile et bien fait du vieux, qui ne dénote aucune « incommodité », Harpagon répond en se plaignant d'avoir un catarrhe (une « fluxion » qui le prend « de temps en temps ») ; et Frosine réplique : « Votre fluxion ne vous sied point mal, et vous avez grâce à tousser ».

Ce vieil avare tousseur était Molière lui-même, « fort travaillé par sa fluxion », comme dira La Grange. Il laissait un signe de son propre mal dans son portrait de personnage, comique : un masque où la douleur, dissimulée par le rire, devenait une grimace atroce.

3. Molière tomba malade en décembre 1665, alors qu'il représentait *L'Amour médecin*. Le théâtre du Palais-Royal fut fermé à cause de la maladie de Molière et de la mort de la Reine mère (20 janvier 1666) jusqu'au 21 février 1666. Robinet,

dans sa lettre en vers du 21 février, donnait joyeusement la nouvelle du rétablissement advenu :

> Je vous dirai, pour autre Avis,
> Que Molière, Le Dieu du Ris
> Et le seul véritable Mome,
> Dont les Dieux n'ont qu'un vain Fantôme,
> A si bien fait avec Cloton
> Que la Parque au gosier glouton
> A permis que sur le théâtre
> Tout Paris encore l'idolâtre.
> Oui, tel est le décret du Sort,
> Qui, certes, nous oblige fort,
> Que du comique ce grand Maître
> Dans quelques jours pourra paraître.

« La Parque au gosier glouton » ; « le décret du Sort ». La maladie a certainement dû être inquiétante. Pendant ces trois mois, on a dû craindre pour sa vie. Mais « Molière, qu'on a cru mort, se porte bien », écrit Élie Richard à Élie Bouhéreau. Et son retour fut si joyeux, et si grand son succès, que, selon le registre de La Grange, il y eut plusieurs répliques de la comédie.

Les médecins avaient déjà été attaqués par Molière (et très violemment dans une scène de *Dom Juan* : « tout leur art est pure grimace »). Mais ce n'est pas une déduction arbitraire de supposer que, appelés peut-être par le Roi lui-même, ils aient couru à son chevet, qu'ils aient discuté pour savoir s'il fallait saigner ou purger, se querellant sur la nécessité de lui administrer un peu de vin émétique. A-t-on appelé les médecins de la Cour, ou simplement son ami Mauvillain, considéré comme un traître par la Faculté ?

Nous ne possédons pas d'éléments pour penser qu'à la suite de la maladie et des consultations, comme le prétend Chalussay, Molière ait eu l'idée de retoucher la grande scène des médecins de *L'Amour médecin*. Il n'apparaît pas de variantes importantes entre la première édition de la comédie (janvier 1665) et la deuxième. Mais une fois guéri et revenu au théâtre, Molière a certainement dû donner à la représentation de cette scène un brio encore plus intense. Le texte le lui permettait. En le donnant à imprimer, il définissait *L'Amour médecin* comme « un simple crayon » et prévenait « qu'il y a beaucoup de choses qui dépendent de l'action ». « On sait bien, écrivait-il dans un esprit très moderne, que les comédies ne sont faites que pour être jouées », et il conseillait la lecture de cette comédie uniquement aux personnes qui ont des yeux pour découvrir dans la lecture « tout le jeu du théâtre ».

C'est ce « jeu du théâtre » qui dut accentuer la vérité piquante de la satire. Les corrections sur les originaux concernaient la qualité dans la représentation. Les « nouveaux charmes » de la comédie naquirent du fait d'avoir vu agir et disserter sur le vif de son corps ces magistrales canailles. Et le succès que connut l'œuvre après la reprise fut rallumé non seulement par la joie de retrouver le grand acteur sur la scène, mais par le fait de reconnaître dans le médecin Des Fonandrès, tueur d'hommes, l'illustre Des Fougerais ; dans Bahys toujours en train de crier, le fameux Esprit, puis Guénaut dans Macroton à la grosse voix, et D'Aquin dans Tomès amoureux des saignées, et Yvelin dans Filerin. C'étaient ces identifications possibles qui chargeaient la scène d'une force comique. Et encore aujourd'hui, on respire une certaine allégresse dans la comédie : comme celle d'un homme qui se serait délivré d'un cauchemar. Dans la lutte entre Mome et Esculape, le gagnant fut Mome.

4. Mais de quelle manière l'art de la comédie, la profession du comique, le théâtre s'inséraient-ils encore une fois dans ce jeu si complexe entre la douleur et le rire ? Qu'était devenu le rire pour Molière ? Une défense contre l'angoisse, une attitude de supériorité puisque celui qui rit, ou parvient à faire rire les autres, masque ou maîtrise la terreur ? Une attitude agressive ou une attitude de défense qui contenait malgré tout des menaces ? L'esprit d'agression était-il une manière de compenser la dégradation imposée par le métier même de l'acteur qui joue le bouffon ? Se représenter soi-même en comique jaloux ou en jaloux mélancolique, atrabiliaire au point d'en faire du théâtre, cela répondait-il à un désir de frustration ? Ou bien, dans la représentation de cette tempête inébranlable des sentiments, dans cette distorsion sur la scène des traits physiques et psychiques, à l'intérieur et à l'extérieur de soi-même, due à la colère ou au doute, savait-il que, malheureusement, il ne rentrait que dans la sphère du comique ?

Je pense que, pour lui surtout, le comique était lié à un sentiment de supériorité. Exclu du tragique, repoussé par lui, il retrouvait le salut dans ce sentiment. C'est dans ce sens que l'on perçoit la distance qu'il a prise par rapport aux acteurs de la Commedia dell'Arte. Les comédiens de l'art aimaient le comique pur, comme fin en soi. Ils aimaient l'absurde et les discours incohérents. Chez Molière, il n'y a aucune forme de régression, de retour au bonheur de l'enfance. Alceste, dans sa logique, est aussi tranchant qu'une lame. Et le rire se révèle être ce qu'il est : une expression de force, d'autant plus secrète qu'elle se niche dans un être affaibli, usé. Pour lui aussi, comme on l'a écrit, « la défense de l'angoisse, le dépassement de l'angoisse et la réalisation du plaisir, sont condensés dans le même acte ». L'acte comique dans les trois éléments qui le composent : le spectateur, le public, les agents négatifs invisibles, confère son statut à la représentation.

De cette capacité d'agression dans la souffrance, recherchée et exprimée sur la scène, lui-même, non plus comme personnage, éprouva le besoin de dire quelque chose dans sa dernière comédie, avec des mots qui ressemblent à l'épigraphe de sa vie. Ils sont une déclaration de force et de solitude désespérée. Argan, le malade imaginaire, se rue violemment contre Molière qui ne croit pas aux médecins et réclame sa vengeance. Et Molière, par l'intermédiaire de Béralde, frère d'Argan, répond : « Il sera encore plus sage que vos médecins, car il ne leur demandera point de secours [...]. Il a ses raisons pour n'en point vouloir, et il soutient que cela n'est permis qu'aux gens vigoureux et robustes, et qui ont des forces de reste pour porter les remèdes avec la maladie ; mais que pour lui, *il n'a justement de la force que pour porter son mal* ».

5. Après la maladie de Molière, après la représentation de *L'Amour médecin* qui marquait l'attaque de front contre la médecine, le thème des médecins, poursuivi et repris, du *Médecin malgré lui* à *Monsieur de Pourceaugnac* et au *Malade imaginaire,* commence à se fixer en une forme de pathologie burlesque, qui, dans son insistance, révèle des accents quasiment maniaques. Ces médecins étaient des fantômes, des personnifications de la douleur, comme il arrive chez les enfants. De *L'Amour médecin* au *Malade imaginaire* c'est comme un lent cheminement vers la névrose d'un homme fasciné par la science médicale (qu'il avait peut-être apprise à travers son ami Mauvillain), curieux de tout ce qui concernait la médecine, d'un malade qui, semble-t-il, veut connaître les remèdes pour les repousser. Après le travestissement du personnage en méde-

cin et celui du personnage que les médecins déclarent fou et qui est en bonne santé, il y a le personnage-fou qui vit désormais dans le cauchemar d'être malade, et avec des hypothèses de plus en plus faibles pour tenter, au-delà de la médecine, sa propre guérison.

Supporter le mal dans la vie et essayer de le guérir sur le théâtre. L'amour-médecin. Le théâtre-thérapie. Le théâtre deviendra le rempart le plus bénin contre la douleur. Le grand acteur comique doit éloigner les ombres néfastes de Galien et d'Hippocrate. Répétons-le, c'est Mome qui vainc Esculape. Ce n'est pas la larme qui impose la catharsis, et pas même la cruauté, comme chez Artaud ; mais s'amuser au théâtre, c'est comme expulser le mal de nous-mêmes. Aussi bien chez celui qui regarde le spectacle que chez celui qui le crée.

Molière a exprimé sa confiance dans la vertu thérapeutique du rire à travers les prologues et les intermèdes des comédies. Dans le final de *L'Amour médecin,* avec des musiques de Lulli, alors que dansent les Jeux, les Ris et les Plaisirs, la Comédie, le Ballet et la Musique chantent :

> Sans nous tous les hommes
> Deviendraient mal sains,
> Et c'est nous qui sommes
> Leurs grands médecins.

Et la Comédie, seule à présent, continue à chanter :

> Veut-on qu'on rabatte,
> Par des moyens doux,
> Les vapeurs de rate
> Qui nous minent tous ?
> Qu'on laisse Hippocrate,
> Et qu'on vienne à nous.

Les perspectives, les lumières et les ombres des théâtres, les salles bruyantes contre les asiles d'aliénés, contre les sombres hôpitaux dont parlait la femme d'Élomire. C'est dans cette course vers le « spectacle » que s'insère la « comédie-ballet ».

6. L'invention de la « comédie-ballet » remonte à 1661. Dans les fêtes des *Plaisirs de l'Isle enchantée,* qui inauguraient Versailles, Molière pense à une « comédie galante » avec musiques et « entrées de ballet », qui fut représentée en 1664. Mais c'est après 1666, après *Le Misanthrope,* dans la période où l'existence de Molière commence à se nourrir d'ombres, qu'il pense avec plus d'insistance, un peu par nécessité, un peu par plaisir, à un théâtre fait de ballets et de fêtes, de pastorales comiques et héroïques, c'est-à-dire à un théâtre essentiellement hédoniste. Dans la comédie-ballet, la farce s'entrelaçait aussi avec le chant et les danses. Après *Le Médecin malgré lui,* voici *Le Ballet des Muses* avec *Mélicerte* et *Le Sicilien* ; puis *Amphitryon* et *Le Grand Divertissement de Versailles*. Il s'en fallut de peu que, vers la fin de sa vie, il ne devienne le directeur de l'Opéra. De plus en plus, il était fasciné par la création d'un spectacle moderne où la poésie, la musique, la peinture, la danse, fondues en un idéal d'art, pussent donner comme un frisson à la fantaisie amoureuse. On commençait à apercevoir de loin le rêve de Watteau, un Watteau non encore submergé par l'école de l'indifférence, et qui croit toujours au rire à côté de l'amour. C'est ce que chante le jeune Satyre dans *Le Ballet des Muses* et ce qui annonce déjà Houdar de la Motte et les délices du « pays de l'opéra » :

Le soin de goûter la vie
    Est en notre emploi ;
Chacun y sait son envie ;

C'est notre unique loi.
L'Amour toujours nous inspire
Ce qu'il a de plus doux :
Ce n'est jamais que pour rire
Qu'on aime parmi nous.

Dans la thérapeutique prêtée à la fonction rassérénante du théâtre, on pouvait soigner même la frénésie. Et ce n'est pas étonnant si, après l'amour médecin, après l'amoureux atrabiliaire, après le médecin malgré lui, il ait voulu écrire, avec danses et musiques, une farce sur la folie.

III

1. Depuis longtemps l'image de l'homme était entrée dans l'art, dans la littérature, dans le théâtre, peinte avec les couleurs rouges ou noirâtres de la folie : image malheureuse et désespérée, furibonde ou ridicule, joyeuse ou obstinée. Hamlet, Macbeth, Othello, Don Quichotte ou *El licenciado Vidriera.*

Dans son *Ospedale de' pazzi incurabili,* publié en 1586 et traduit en français par François de Clarier en 1620 *(L'hospital des fols incurables où sont déduites de poinct en poinct toutes les folies et maladies d'esprit, tant des hommes que des femmes),* l'étrange érudit et polygraphe Tomaso Garzoni de Bagnocavallo avait offert à ses lecteurs, pour la première fois sans doute, le grand catalogue de cette maladie incurable. La classification investissait l'humanité tout entière. L'histoire, à travers le témoignage des historiens, des poètes, des médecins, des savants, vue par Garzoni, devient l'envers comique ou amer, tragique ou plaisant d'une humanité poussée aveuglément vers l'autodestruction : bêtise, étourderie, grossièreté, balourdise, acharnement furieux, amour. À la fin de la Renaissance, l'histoire, selon l'exemple d'Érasme, devient un champ immense épouvantablement administré par la folie, par qui croit être Mercure alors qu'il est un Corydon, et par qui croit être Ménalque alors qu'il est Mercure ; pour tous, il faut prier les Dieux pour que les fous d'aujourd'hui guérissent alors que les fous d'hier n'avaient pas guéri. « La folie est donc celle qui, éparse et semée dans toutes les provinces et les pays du monde, travaille les mortels de mauvaise manière et assujettit à son empire tyrannique une infinité de peuples. »

Mais la folie qui intéressait Molière, au moment où il écrivait *Monsieur de Pourceaugnac,* était la plus difficile à définir : elle envahissait les territoires immenses et brumeux de la mélancolie. « Tous les plus fameux médecins aussi bien anciens que modernes, s'accordent sur cette première conclusion, écrit Garzoni, que la mélancolie doit être définie par une sorte de délire sans fièvre, qui ne naît d'autre part que de l'abondance de l'humeur mélancolique qui occupe le siège de l'esprit », et de citer Altomare, Galien, Hippocrate, avec des mots que les médecins de Molière connaissaient trop bien. Les formes de cette démence mélancolique étaient diverses : le fait d'avoir peu de hardiesse ; le fait d'être plein de tristesse et de peur et ne pas savoir en donner la cause ; « le fait de pleurer excessivement [...] ; le désir de la solitude, la haine de la société des hommes ; le fait d'avoir en horreur pendant quelque temps les amusements et les plaisirs, et à nouveau, [...] de se repentir de les avoir méprisés et de revenir à eux » : ce sont là des mots qui pourraient annoncer un repentir possible d'Alceste et son retour à Paris à la fin de la comédie, pour repartir quelque temps après vers son désert.

Plus vif encore est le compte rendu des symptômes, comme s'il dessinait des personnages, dans une autre œuvre de Garzoni, *Il Theatro de' vari e diversi cervelli mondani,* et surtout dans le « discours » dédié aux pauvres cerveaux mélancoliques et sauvages. « [...] Ils errent seuls, l'esprit et les pensées loin de la conversation d'autrui, plutôt dignes de pitié et de compassion que de blâme, car leur nature sauvage comporte justement une pratique étrangère au commerce ordinaire avec les personnes. Ils sont privés de la paix véritable de l'âme, ils sont pleins de mauvaises humeurs, d'étranges fantaisies occupent leur cœur, ils ont en eux des fantômes agaçants, et ils sont parfois tels que, non seulement ils haïssent la compagnie et la société des autres, mais se haïssent aussi eux-mêmes. Cette mélancolie est l'ennemie de l'allégresse, opposée à la gaieté, contraire au plaisir, amie des malheurs, assoiffée de mort, elle prive de la vie. Ces sauvages sont des cœurs ennemis de la nature, car la nature (dit Aristote) a fait l'homme sociable ; et ceux-là préfèrent un buisson, une grotte, un antre, une forêt sauvage, à la compagnie si douce, et si joyeuse, d'un homme [...]. Les Grecs donnent l'exemple de l'humeur sauvage de Timon d'Athènes, que l'on affubla du surnom de Misanthropos ; c'est-à-dire haïssant le genre humain ; car il fuyait le commerce de tous, et n'avait de plaisir que d'être seul. »

Et on n'aurait pas mieux pu dessiner, à la fin de l'Humanisme, avec plus d'évidence et d'âpreté, un des prétendus maux qui, après avoir affleuré dans les personnages shakespeariens, s'établissent définitivement dans l'imagination des hommes, deux siècles plus tard : à l'aube du Romantisme. Mais encore une fois, dans les résonances qui, en plein siècle de Louis XIV, vibrent dans des salles et entre des murs dorés, on entend comme en écho les mots d'Alceste, auquel la Cour et la Ville n'offrent que des objets qui enflamment sa bile (comme il le dit avec ses expressions prises à la médecine), et qui entre « en une humeur noire, en un chagrin profond » lorsqu'il voit la façon dont les hommes vivent. « Fuir tous les humains », après avoir camouflé son instinct à la sauvagerie en moralité absolue. Vivre en un désert impossible à atteindre avec la femme que l'on aime, ou que, dans son propre égoïsme surhumain, on croit aimer.

2. *El licenciado Vidriera,* nouvelle écrite par Cervantès autour de 1606, les nombreuses pages de Robert Burton dans *Anatomy of Melancholy* (1621), le rapport sur la même maladie fait par Sir John Daw dans *l'Epicoene* (1609) de Ben Jonson, le *Traité de la Mélancholie* (1635), dans lequel La Mesnardière, médecin et homme de lettres, se demandait si le mal qui avait bouleversé les possédées de Loudun n'était pas la mélancolie, sont autant de sources vraies ou impossibles, qui, telles des étoiles fixes ou des comètes en dissolution, avec les couleurs mêlées de l'amusement et de la peur, parsèment l'imagination de Molière, ou, peut-être mieux, son cerveau.

Le plus dramatique c'est que l'on puisse rire du fou ou de l'hypocondriaque : soit qu'il devienne l'exemple d'une pureté évangélique comme Don Quichotte, soit de sagesse comme Vidriera, soit de rigueur morale absolue comme Alceste. Et Molière le sait, qui accorde au public tout ce que le public demande. Parmi les exemples d'humeurs mélancoliques classifiées par Garzoni, comment peut-on ne pas rire de celui qui, « croyant être devenu un verre, se rendit à Murano, pour se jeter dans un four et se faire donner la forme d'une carafe » ? C'est la première lumière comique jetée sur un personnage que la folie habille de formes angoissantes. C'est la maladie de Vidriera, obligé d'abandonner la chair malsaine pour la transparence incorruptible et froide du verre, devenu lui-même pur esprit, pure intelligence, pure sagesse: métamorphoses auxquelles ne parvient pas Alceste, tout aussi tourmenté par un désir non moins intense de pureté[1].

Les héros de Molière n'attendent pas de métamorphoses. Même quand ils ne sont que de simples caricatures, ils restent des hommes: c'est leur damnation. George Dandin, traversé par l'idée du suicide, par une misogynie ineffaçable, c'est encore un homme: « Lorsqu'on a, comme moi, épousé une méchante femme, le meilleur parti qu'on puisse prendre, c'est de s'en aller jeter dans l'eau la tête la première ».

Les héros des « comédies-ballets », d'une grâce quelque peu insipide, souvent recouverts des couleurs brunes de la nuit, ce sont encore des hommes. Sostrate dans *Les Amants magnifiques,* comédie avec musiques et « entrées de ballet », parle seul, tandis qu'un « plaisant de cour » l'observe, le suit. « Non, Sostrate, je ne vois rien où tu puisses avoir recours, et tes maux sont d'une nature à ne te laisser nulle espérance d'en sortir [...]. Sur quelles chimères, dis-moi, pourrais-tu bâtir quelque espoir ? et

1. *El licenciado Vidriera,* repris sous forme de comédie par Quinault, a peut-être suggéré à Molière, dans le *Misanthrope,* la scène du sonnet d'Oronte. Le versificateur se met en tête de réciter un poème. Il se confond d'abord en excuses. « C'est un sonnet que j'ai composé cette nuit... À mon avis il ne vaut pas beaucoup, pourtant, je ne sais comment dire, il a une certaine grâce. » Il se tord les lèvres, fronce les sourcils, fouille dans ses poches. Dans un déluge de feuillets crasseux et usés, voici enfin le sonnet qu'il veut réciter. Il le lit sur un ton mielleux. Si les auditeurs ne le louent pas, il s'en plaint, répliquant qu'ils n'ont pas bien compris le sonnet ou qu'il n'a pas su le réciter, et réclame une plus grande attention, parce que son sonnet en vaut la peine... Et il se remet à le réciter avec de nouvelles gesticulations et de nouvelles pauses...

que peux-tu envisager, que l'affreuse longueur d'une vie malheureuse, et des ennuis à ne finir que par la mort ? »

Sur ce langage, un peu sonore, veiné de souvenirs littéraires, se dessine l'image anxieuse d'un misanthrope malade d'amour : « Que faites-vous ici ? et quelle secrète mélancolie, quelle humeur sombre [...] vous peut retenir dans ces bois tandis que tout le monde a couru à la magnificence de la fête [...] ? ». Et même dans les divertissements solaires dédiés au roi Louis, spectacles grandioses et superficiels, ou dans les comédies plus aériennes, ou dans les farces, revient avec insistance un signe de défense devant la lumière, comme pour protéger un secret.

Après le ciel noir du *Sicilien,* c'est l'appel de Mercure à la Nuit, dans le Prologue *d'Amphitryon* : « Tout beau ! charmante Nuit ; daignez vous arrêter ». Dans la nuit et dans le rêve s'aiguisent les tourments de la sœur jalouse, Aglaure, dans la tragédie-ballet de *Psyché*, que Molière écrivit en collaboration :

> La nuit, il m'en repasse une idée éternelle
> Qui sur toute chose prévaut ;
> Rien ne me peut chasser cette image cruelle,
> Et dès qu'un doux sommeil me vient délivrer d'elle,
> Dans mon esprit aussitôt
> Quelque songe la rappelle,
> Qui me réveille en sursaut.

Même une farce comme *Monsieur de Pourceaugnac* s'ouvre par une sérénade et un grand concert de voix et d'instruments : une invocation à la Nuit :

> Répands, charmante nuit, répands sur tous les yeux
> De tes pavots la douce violence,
> Et ne laisse veiller en ces aimables lieux
> Que les cœurs que l'amour soumet à sa puissance.

Tes ombres et ton silence,
Plus beau que le plus beau jour,
Offrent de doux moments à soupirer d'amour.

3. Pour le sujet qui nous concerne, *Pourceaugnac* est une joyeuse conjuration de médecins qui traitent de fou quelqu'un qui ne l'est pas. Il n'y a plus de faux médecins pour de faux malades, ou de vrais médecins partagés entre les diagnostics et les remèdes : mais des médecins qui veulent contraindre la peau d'un homme sain à entrer dans les mailles douloureuses d'une maladie qu'il n'a pas.

La médecine étend son régime de terreur grâce à l'œuvre de sombres échevins qui agissent dans une société à demi policière, obéissant à un code mystérieux : le code de la fausse science. Et dans son rayon d'action sont emmêlés non seulement les souffrants dont la science, dans son but balsamique, hâte la mort (« Voilà déjà trois de mes enfants, dit l'Apothicaire à Éraste, en tissant les louanges de son médecin, dont il m'a fait l'honneur de conduire la maladie, qui sont morts en moins de quatre jours et qui, entre les mains d'un autre, auraient langui plus de trois mois »), mais ceux aussi qui sont en bonne santé ou qui ignorent d'être malades. La médecine fait irruption dans la zone indéchiffrable de la folie, où elle peut agir comme elle veut, avec l'aide des autres (car le fou fait peur) et avec des effets désastreux. Dans plusieurs familles, aujourd'hui encore, le plus actif de ces personnages, Sbrigani, continue à œuvrer. Et Sade, dans *Juliette,* se souviendra de ce nom.

Cette situation, bien que livrée aux facéties comiques, peut révéler son actualité, ne serait-ce que d'un point de vue social. Monsieur de Pourceaugnac proteste, et sa protestation est quasiment un cri : « Parbleu ! je ne suis pas malade ». Et le médecin répond : « Mauvais signe, lorsqu'un malade ne sent pas son mal ». L'autre insiste : « Je vous dis que je me porte bien ». Et le médecin rétorque : « Nous savons mieux que vous comment vous vous portez, et nous sommes médecins, qui voyons clair dans votre constitution ». Et à Pourceaugnac qui lui crie, au comble de l'exaspération : « Si vous êtes médecins, je n'ai que faire de vous ; et je me moque de la médecine » ; le médecin, secouant calmement la tête, conclut : « Hon, hon ; voici un homme plus fou que nous ne pensons ».

Aujourd'hui encore, on a vite fait de faire passer un pauvre homme pour un fou. À combien de personnes, hier comme aujourd'hui, jetées dans des asiles d'aliénés ou dans ces lieux appelés, de façon plus euphémique, maisons de santé, n'a-t-on pas adressé de semblables discours, et pour des raisons plus abjectes ?

4. La consultation à laquelle est soumis le présumé malade, la très docte dissertation à laquelle se livre le premier médecin, malgré la brillante déformation burlesque, peuvent être considérées comme un excellent document, s'il n'en existait pas d'autres, sur l'état de la science psychiatrique au temps de Molière. Encore une fois, Molière réunit la tradition littéraire et scientifique autour du motif qu'il connaît bien. Il l'utilise, l'entraîne vers ses propres confins comiques et démystifiants et, afin de pouvoir bien viser sa cible (ainsi qu'il était arrivé pour *L'Amour médecin),* il se documente sur les livres et sur les personnes ; il a suivi les cours des médecins de son temps, curieux avant que d'être un patient. Les symptômes de la mélancolie hypocondriaque, classifiés par le Premier médecin, ne sont pas très différents de ceux que Rivière, doyen de la Faculté de Montpellier, avait exposés.

La mélancolie hypocondriaque dont serait affligé Pourceaugnac, « espèce de folie très fâcheuse », doit être distinguée, selon le Premier médecin, des deux autres formes dont parle Galien (celle qui est issue d'un vice du cerveau et celle qui est issue de tout le sang « fait et rendu atrabilaire »). Elle naît « du vice de quelque partie du bas-ventre et de la région inférieure, mais particulièrement de la rate, dont la chaleur et l'inflammation portent au cerveau de notre malade beaucoup de fuligines épaisses et crasses, dont la vapeur noire et maligne cause dépravation aux fonctions de la faculté princesse », c'est-à-dire de la *facultas princeps,* celle-là même qui nous met en rapport avec l'intelligence. Et pour le docteur Rivière aussi, la cause de cette mauvaise disposition d'esprit « qui par sa crassitie, épaisseur et couleur noire », infectait les esprits animaux et les rendait ténébreux, venait d'une inflammation ou « phlogose des hypocondres », dans la mesure où le « sang mélancolique, retenu plus longtemps dans la rate », croissait en chaleur « par l'obstruction d'où s'élèvent beaucoup de vapeurs au cerveau ». Molière ne transforme pas beaucoup et il ne fausse rien pour faire rire la salle. Je nourris même des doutes quant au fait que les quelques spectateurs bien renseignés aient pu rire de ces dissertations, comme nous en rions aujourd'hui. Le ridicule se trouvait dans les belles floraisons du langage académique, il se trouvait dans les choses : dans l'obstination comique du médecin qui veut à tout prix soigner un homme sain. Il veut fouiller jusque dans ses rêves. « De quelle nature sont-ils ? » Sans qu'il s'en rende compte, parmi les questions qu'il adresse à son malade présumé, c'est la question la plus chargée d'avenir.

De ce point de vue, *Monsieur de Pourceaugnac* pourrait être vu comme une continuation du *Misanthrope*. Si Alceste s'était laissé visiter, s'il y avait été obligé par Célimène, les médecins ne l'auraient pas traité très différemment. Mais Monsieur de Pourceaugnac était sain. Alceste était malade, affecté, selon les déclarations de son auteur, par un des trois exemples de mélancolie dont parle Galien, et sa « maladie » manifeste rimait avec « comédie », parce que n'importe quelle manie suscite le rire.

> Je vous dirai tout franc que cette maladie,
> Partout où vous allez, donne la comédie.

Et à l'égard d'Alceste, Molière avait tout de même un certain respect, un instinct de protection que Pourceaugnac ne méritait pas ; une façon de le laisser dangereusement suspendu au-dessus des abîmes retentissants du rire pour le retirer aussitôt après. Ce névrotique avait raison. Et la « maladie » le défendait de lui-même et des autres, blessés par ses dures sentences.

Dans la farce et dans le climat joyeux de la comédie-ballet se développe le thème de la « mélancolie », en des formes de plus en plus récurrentes, au fur et à mesure que la maladie de Molière devient inquiétante. Derrière l'image dense et consistante des deux personnages de la fin, Pourceaugnac et Argan, il y a un vrai malade que les médecins, tels des alchimistes, des charlatans et des démons, continuent à faire fuir.

Les maux physiques avaient aggravé, au cours des dernières années, les maux nerveux. Si, comme le dit Grimarest, « une fenêtre ouverte ou fermée, un moment avant qu'il eut ordonné, *le mettait en convulsions* », c'était parce que son physique n'était pas résistant. La santé empirait. Le travail d'acteur, d'auteur et ensuite d'organisateur des « divertissements royaux », l'épuisait. Pendant deux mois environ, avons-nous dit, il s'était éloigné de la scène. Pendant un mois, au printemps de 1666, son théâtre reste fermé. En avril 1667, deux ans avant *Pourceaugnac,* la nouvelle que Molière était mort fut diffusée. Robinet, dans sa *Gazette,* toujours prompt à faire des prévisions catastrophiques, le déclare au terme de sa vie, proche à « entrer dans la bière ». Et bien que Molière s'amuse à présenter son mal tel un stratagème « pour jouer même aussi la Parque au trait fatal », la pensée de cette mort comme événement possible ne cesse de le poursuivre. Molière n'avait alors que 45 ans. Que l'on éloigne « la gloutonne Anthropophage » !

Et, s'il meurt, nous mourrons tous de Mélancolie.

IV

1. Comme ces peintres qui placent leur autoportrait au fond du tableau, revêtu d'habits empruntés, surpris en un moment de vérité, il n'était pas difficile de reconnaître Molière, travesti, dans ses comédies les plus joyeuses. Au premier plan se déroule l'histoire, avec ses situations drôles et son rythme de vie irrésistible. Au loin, en raccourci, ou même hors du cadre, une actrice, candidement habillée en pastourelle, ou l'un de ses médecins haïs recouverts d'« habits grotesques » disent des mots vrais, parfois douloureux, que le genre comique n'altère pas.

Il avait passé un coup d'éponge sur son portrait, et pourtant, de cette image, sous une couche épaisse de céruse, restent de curieux fragments, confiés à d'autres acteurs. Tout est dissimulé dans le feu de l'action scénique : Molière et son refus de se faire soigner, le fait de nier la maladie et de ne représenter désormais que des hommes sains ou des malades imaginaires, et non plus les Alceste. Mais, sous ce contraste comique, ce

« débat » entre maladie et santé, quelque chose échappe à celui qui se cache.

Qui se cache derrière le costume de Pourceaugnac, tout pimpant de rouge damassé, garni de broderies et d'un pourpoint en velours azuré rehaussé d'or avec des jarretelles vertes, un chapeau gris orné de plumes, une écharpe en taffetas vert et une cape en taffetas noir ? Personne, semble-t- il. C'est un personnage méconnaissable : une véritable mascarade. Mais le premier médecin, derrière cet apparat de provincial si fastueux, parvient à apercevoir un visage qui fait peur. « Pourceaugnac est horrible », écrivit Michelet : horrible parce que derrière cette mascarade il y a le visage d'un malade, le visage même de Molière acteur recouvert de ces habits, et que le médecin observe et décrit. « Qu'ainsi ne soit, pour diagnostic incontestable de ce que je dis, vous n'avez qu'à considérer ce grand sérieux que vous voyez ; cette tristesse accompagnée de crainte et de défiance, signes pathognomoniques et individuels de cette maladie, si bien marquée chez le divin vieillard Hippocrate ; cette physionomie, ces yeux rouges et hagards, cette grande barbe, cette habitude du corps, menue, grêle, noire et velue, lesquels signes le dénotent très affecté de cette maladie, procédante du vice des hypocondres : laquelle maladie, par laps de temps naturalisée, envieillie, habituée, et ayant pris droit de bourgeoisie chez lui, pourroit bien dégénérer ou en manie ou en phtisie, ou en apoplexie, ou même en fine frénésie et fureur. »

Mais ce personnage digne d'appartenir à la petite chiourme de la nef des fous, ces yeux rouges, cette pâleur mortelle, nous les verrons réapparaître dans l'autoportrait que Molière, quelques mois plus tard, dans l'*Élomire* de Chalussay, dessine devant les médecins, celui d'un homme souffrant qui n'a plus d'issue :

> Vous en voyez l'effet de cette peine extrême
> En ces yeux enfoncés, en ce visage blême,
> En ce corps qui n'a plus presque rien de vivant,
> Et qui n'est presque plus qu'un squelette mouvant.

2. Ces deux images coïncident. Il y a d'un côté la déformation professionnelle des médecins qui, dans leur sot délire, veulent dénicher partout le mal et exagèrent tout exprès les symptômes que la doctrine assignait traditionnellement à l'hypocondrie, dans un corps, comme le dit le docteur Rivière, « noir, velu, maigre » ; et de l'autre, il y a la transformation imposée à son propre corps par la maladie et la frayeur de se sentir proche de la mort, sans aucune possibilité de guérison. Et parmi les éclats de rires et les divertissements ingénus, nous percevons la sensation inquiète et désagréable dont nous parlions au début, comme une image qui aurait été recouverte par la tache d'une couleur vive ; comme d'une sinopie où on aurait dessiné un portrait livide de malade en noir et blanc, ensuite caché par de joyeux coups de pinceau.

Rien de plus gai, de plus artificiellement arcadien, de plus intentionnellement courtisan que le prologue du *Malade imaginaire*. Mais à cette églogue faite de musique et de danse avec des zéphyrs couronnés de fleurs, des bergers et des pastourelles qui chantent en un délicieux lieu champêtre, l'auteur en ajouta une autre, où, dans une forêt noire, une pastourelle tendrement se plaint de ne pas trouver de remède pour adoucir ses peines d'amour. Qui a jamais demandé à la médecine de soigner les maux d'amour ?

Ce qu'elle chante dans sa plainte, consolée par les Faunes, semble presque ne pas lui appartenir. C'est comme l'écho d'une confession qui va au-delà du personnage et de la scène qu'elle représente : l'aveu d'une douleur suffoquée, et les raisons d'un refus. Dès lors, quelle allusion plus claire à Molière, à un Molière moribond, que ces vers chantés langoureusement par une pastourelle enamourée ?

> Votre plus haut savoir n'est que pure chimère,
> Vains et peu sages médecins ;
> Vous ne pouvez guérir par vos grands mots latins
> La douleur qui me désespère :
> Votre plus haut savoir n'est que pure chimère.

Ils annoncent, au troisième acte de la comédie, la déclaration de Béralde : « Il n'a justement de la force que pour porter son mal ». Et ils annoncent par ce ton accablé, le discours que, pendant la troisième représentation, Molière avait tenu à sa femme en présence de Baron (comme le rapporte Grimarest) : « Tant que ma vie a été mêlée également de douleur et de plaisir, je me suis cru heureux ; mais aujourd'hui que je suis accablé de peines, sans pouvoir compter sur aucuns moments de satisfaction et de douceur, je vois bien qu'il me faut quitter la partie ; je ne puis plus tenir contre les douleurs et les déplaisirs, qui ne me donnent pas un instant de relâche ».

Douleur et plaisir. Il n'était plus possible de les faire revivre ensemble. Et l'on perçoit que la thérapie ordonnée à Pourceaugnac par les médecins est de plus en plus inutile, même si elle recélait un des motifs les plus salutaires du théâtre de Molière : la défense de la joie ; une tranche de lumière pure, nette, qui s'opposât aux vapeurs noires, grasses, sombres – disaient les médecins –, qui s'étaient épaissies dans le sang à cause de la mélancolie ; une réjouissance de l'esprit par des chants et des instruments de musique « à quoi il n'y a pas d'inconvénient de joindre des danseurs afin que leurs mouvements, disposition et agilité puissent exciter et réveiller la paresse de ses esprits engourdis ».

C'était une ancienne et aimable croyance que la musique parvînt à guérir la folie, à nous délivrer de l'engourdissement provoqué par la morsure de la tarantule. Les sons d'un instrument rendaient moins douloureuse pour Montaigne la cassure entre le rêve et la réalité. Et Molière, pour exalter cette croyance, avait, dans *Pourceaugnac,* confié à deux musiciens travestis en « médecins grotesques » (c'est-à-dire habillés de costumes grotesques en charlatans alchimistes) la tâche de chanter en italien, en cet italien qui était pour lui la langue de l'allégresse, ces douces paroles de réconfort, accompagnées de la symphonie d'instruments divers :

Bon dì, bon dì, bon dì : [1]
Non vi lasciate uccidere
Dal dolor malinconico
Noi vi faremo ridere
Col nostro canto harmonico,
Sol per guarirvi
Siamo venuti qui.
Bon dì, bon dì, bon dì.

Altro non è la pazzia
Che malinconia.
Il malato
Non è disperato,
Se vol pigliare un poco d'allegria :
Altro non è la pazzia
Che malinconia.

1. Bonjour, bonjour, bonjour :/Ne vous laissez pas tuer/Par la douleur mélancolique/Nous vous ferons rire/Avec notre chant harmonieux,/Uniquement pour vous guérir/Nous sommes venus ici./Bonjour, bonjour, bonjour./La folie n'est autre/Que mélancolie./Le malade/N'est pas désespéré,/S'il veut prendre un peu de gaieté :/La folie n'est autre/Que mélancolie./Allons, chantez, dansez, riez ;/Et si vous voulez faire mieux,/Quand vous sentez le délire s'approcher,/Prenez du vin,/Et parfois un petit peu de tabac./Joyeusement, Monsieur Pourceaugnac !

Sù, cantate, ballate, ridete ;
E se far meglio volete,
Quando sentite il delirio vicino,
Pigliate del vino,
E qualche volta un po' po' di tabac.
Alegramente, Monsù Pourceaugnac !

[1973]

Radiographie d'un malade

Dans la maladie on découvre des terres inconnues.
Mazarin [?]

I

1. Dans le petit monde du *Malade imaginaire* le mythe solaire du siècle de Louis XIV semble faire naufrage. Et c'est un naufrage dans un étang assez limoneux. Au grand thème de l'exaltation de la lumière, à la célébration théâtrale duquel Molière avait aussi participé, succèdent à présent des tons sales et noirâtres, à la Daumier. Les costumes, qui glorifiaient dans les ballets la splendeur de la lumière, costumes d'argent, de velours, de satin, chargés de broderies, d'ornements, de pierres précieuses aux vives couleurs avec de grands turbans ornés de panaches et de fleurs, sont remplacés à présent par les très humbles et lugubres objets qui peuplent la chambre d'un malade, les vêtements usés par la fréquentation de la maladie et de ses remèdes immondes.

Le ballet, comme expression symbolique et « empanachée » d'une époque conventionnelle, empêtrée dans le grandiose, éloignait l'individu de la réalité familière, il le « sacralisait », a-t-on dit, tel un emblème, tel Louis XIV travesti en Soleil. Le *Malade imaginaire,* dans sa forme même de « comédie-ballet », se jette sur la réalité familiale de façon inusitée et violente, et les personnages mêmes du ballet, médecins, pharmaciens, chirurgiens danseurs, au lieu d'être issus d'une « féerie » grâce à l'œuvre d'un Berain, se muent dans les obsessions grotesques de cette même réalité envahie par l'odeur de la maladie.

Mais la chambre d'Argan, protagoniste de la comédie, s'élargit volontiers en d'autres murs, se multiplie en d'autres chambres semblables ou plus luxueuses et même décorées avec splendeur. Argan n'est pas seul. Il sait qu'il appartient à une communauté de malades, une forte corporation protégée par les lois, un ordre qui fait respecter ces lois, auxquelles tous doivent se soumettre, depuis le roi de France jusqu'au plus humble boutiquier. La maladie est niveleuse, elle dispense avec largesse les douleurs, mais aussi les biens, les privilèges. Quand on est en bonne santé, il faudrait ambitionner d'appartenir à cet ordre de la maladie qui a ses élus, ses maîtres et même ses tyrans, que les hommes soi-disant vigoureux doivent servir, aider aveuglément, dans l'intimité familiale et, s'ils le peuvent, dans leur vie publique. Argan sait tout cela, et il en profite sans ménagement, comme s'il s'agissait d'une revanche sur les autres, sur sa famille, sur tous ceux qui se trouvent autour de lui, et dont il est, en tant que malade, le despote absolu. Et il ressent un plaisir secret à être révéré, à devenir l'objet d'égards et de civilités, comme ceux que lui administre monsieur Fleurant, son pharmacien, quand il lui adresse la note des médicaments.

2. Il ne pourrait exister, il ne pourrait regarder sa maladie comme son soleil noir, s'il ne sentait pas qu'il vit dans une époque de grands malades. C'est là que réside l'efficacité comique du personnage. Il sent dans l'air que, la douleur le fait l'ami et l'égal des dames, des ducs, des marquis, des beautés titrées et peut-être même du roi sans plus aucune division de rang, de noblesse, de fortune, dans une égalité pleine et abso-

lue. Ses médecins lui ont certainement rapporté que lorsque le Roi tomba malade à Calais, on fit avaler une bonne potion de vin émétique à cette bouche divine, sacrée, délicieuse.

Les duchesses n'abusent-elles pas de clystères ? La marquise de Sablé n'éprouve-t-elle pas ces mêmes maux, cette même certitude d'être livrée à une maladie dont elle ne sait pas évaluer clairement la nature, mais dont les symptômes existent ? C'est, elle aussi, une malade imaginaire, comme la définissent les insensés. Madame de La Fayette, dès cette époque, alors qu'elle ne dépassait pourtant pas encore la quarantaine, avait commencé à se plaindre, d'être comme suspendue entre ciel et terre, de n'avoir pas la force de dire bonjour ni bonsoir, de se sentir tous les jours fiévreuse ; on disait déjà d'elle, comme disaient d'Argan son frère et les autres membres de la famille, qu'il y avait quelque folie dans ce désir de ne jamais sortir de la maison. Mais il s'agit là de femmes. Et les hommes, les grands hommes, hautains et orgueilleux, ne souffrent-ils pas comme lui, pauvre mortel ? Ne souffre-t-il pas comme lui le duc de La Rochefoucauld, autrefois frondeur et homme de guerre, qu'une douleur maudite au pied oblige à présent à rester immobile ?

Mais cette consolation n'est pas suffisante, elle ne parvient pas à rendre à Argan sa tranquillité, sa sérénité. Accepter sa maladie n'est pas digne d'un bon malade. Ce serait comme convertir un état solennel et terrible dans lequel le corps a chu, en une sorte de comédie, aussi noble fût-elle. S'il avait connu les mots avec lesquels Pascal, malade, s'adressait à Dieu, ils lui auraient semblé dignes d'un fou : « Vous m'aviez donné la santé pour vous servir, et j'en ai fait un usage tout profane. Vous m'envoyez maintenant la maladie pour me corriger : ne permettez pas que j'en use pour vous irriter par mon impatience ». La maladie n'est pas quelque chose que l'on puisse garder tranquillement pour soi, même avec le désir très haut de se corriger soi-même. S'il en était ainsi, les médecins n'auraient rien à faire sur terre, et ce serait un crime bien plus grave. L'homme doit se mettre fermement en tête que sa fonction sur cette terre est de guérir ; et la volonté de guérir est si forte qu'il faut s'inventer les maux pour avoir la possibilité de leur livrer combat.

3. Le malade, dans ses rapports avec son corps, se trouve dans le moment critique, terrible, angoissant, que Francis Bacon saisit à sa manière. Le corps, après avoir donné à l'homme les plaisirs et la jouissance, se transforme un beau jour d'hôte en geôlier, en tortionnaire, en bourreau.

Argan n'a jamais lu Bacon, mais il sait cela et il en a peur. Et, le craignant, il tient en respect son geôlier, feint d'être son ami, le flatte comme on fait avec les ennemis rusés dont il faut tout attendre. L'attention qu'il a envers son propre corps ne lui accorde pas un seul instant de répit. Il le veille même quand il dort. Il est toujours dans l'attente d'un mouvement soudain qui risquerait de le prendre en défaut. Dans cette lutte acharnée, qui est d'ailleurs une infatigable défense, il demande l'aide de ses bons et miséricordieux médecins, jusqu'au moment où la médecine devient pour lui un rempart unique et extrême, le solide bouclier derrière lequel se protéger.

Derrière la médecine il y a un code, des articles qu'il faut adorer : certains sont clairs, d'autres incompréhensibles qui, en tant que tels, requièrent une confiance aveugle. Voilà la religion d'Argan. Il n'existe rien d'autre au monde qui vaille la peine de céder, de se déclarer vaincu, et Argan ne baissera jamais son étendard. On assiste tous les jours dans sa chambre, entre les victoires et les défaites, au déroulement d'une campagne constante et interminable, digne de Turenne et du Grand Condé, menée contre les clystères détergeants, le julep hépatique soporifique et les médicaments purgatifs et fortifiants. La bonté de la nature est une fable, ainsi que la santé et l'innocence, désormais disparues du monde, tout comme la grâce et l'ingénuité de l'enfance. « Il n'y a plus d'enfants ! », reconnaît-il amèrement, songeant presque à un bien perdu : tel le souvenir de la lumière chez un vieillard à qui l'on a ôté la vue depuis l'enfance.

Il faut donc que la maladie soit là, mais qu'elle ne s'installe pas. Car derrière la maladie, comme au fond d'un long couloir sombre, de plus en plus étroit, de plus en plus sombre, se trouve une image horrible : la mort. Ce n'est pas la religion qui peut effacer cette image, parce que la religion ne fait pas autre chose que de nous rappeler qu'elle existe même quand on ne la voit pas et que nous finirons par nous cogner le nez dessus, mais la science. La science essaie de retarder sa victoire, elle nous donne l'illusion de l'immortalité. Et la maladie devient alors un mal nécessaire, car c'est seulement à l'occasion de la maladie que la science peut intervenir et éloigner le point extrême de tout mal, la fin du chemin de la vie, brusquement interrompu sur un abîme qui est la mort. Et au contraire, qui croit être en bonne santé, qui repousse la médecine, se retrouve comme désarmé et, à la dernière minute, n'a pas le temps de dire « Amen » qu'il est saisi à la gorge et finit comme un pauvre oisillon ou comme un insecte ignorant. Molière est un fou de ce genre, non Argan, à qui le hasard a donné raison.

Le siècle a la terreur de la mort, et il la célèbre dans les grandes églises en apparât de deuil, avec de pompeux offices funèbres et des oraisons aux vibrantes envolées. Le pauvre Argan a dû trouver cette pompe glaçante et même absurde, parce qu'on ne peut célébrer dans la vie ce qui est l'opposé de la vie en même temps que la défaite la plus éclatante et nauséabonde de la science, cette force des vivants. « Le soleil ni la mort ne se peuvent regarder fixement », avait écrit La Rochefoucauld. Argan n'essaie pas de la regarder ni de la mépriser, ni d'en faire du théâtre, comme ce valet condamné au supplice qui, avant de mourir, se mit à danser sur l'échafaud. On ne peut pas plaisanter, jouer la comédie avec la mort. La fiction est, dans des cas semblables, dangereuse. Le théâtre peut soudain devenir réalité. Et tout le jeu de la mort feinte, au troisième acte, auquel il cède pour savoir qui va le pleurer et qui aura un souffle de soulagement, toute cette scène dans laquelle il disparaît de l'existence des autres, n'a été vraisemblablement écrite que pour une réplique.

« N'y a-t-il point quelque danger à contrefaire le mort ? », demande Argan au metteur en scène de ce travestissement. Saisi d'un pressentiment superstitieux, devant le danger, il veut reculer. Entré pour plaisanter dans le monde de l'au-delà, désarmé, sans protecteurs, sans médecins, il craint d'être obligé par un esprit malin d'y rester à jamais.

II

1. Argan, de quelque côté qu'on l'observe, est l'antagoniste parfait de son auteur. Les autres personnages de Molière étaient des déformations douloureuses, des cancers du tissu social, ou des images d'une ambiguïté fascinante dont on ne sait pas trop s'il les aimait ou s'il les méprisait. Mais Argan ne laisse pas de doutes. Par rapport à l'auteur qui le créa, c'est un personnage négatif. Il est tout ce que Molière n'est pas.

Ils partent tous les deux d'un versant commun, le grand thème de la maladie, mais l'un dans une direction opposée à l'autre. Argan est un faux malade, Molière est un malade vrai. L'un vénère ses médecins. L'autre les méprise. Argan est un fou entré de sa propre volonté dans la communauté des malades, parce qu'il éprouve la terreur de la mort et qu'il se sent protégé, défendu. Molière est seul, seul dans sa maladie, sans le réconfort de qui que ce soit, ni de sa famille, ni de ses guérisseurs présumés. C'est un mélancolique dont la mélancolie a des racines profondes dans la lucidité impitoyable de sa condition, et dont la conscience d'être un homme fini a désormais gagné aussi les nerfs.

Bien qu'elles se situent dans le champ de la névrose, leurs raisons ne se touchent pas. Et afin que cette conscience d'être l'antagoniste de son héros soit révélée clairement à qui l'ignore, il apparaît avec son propre nom à l'intérieur du drame comme « personnage absent », c'est-à-dire comme l'auteur qui, sans devenir personnage, s'agite et souffre au-delà des coulisses. Argan se jette violemment contre Molière qui ne croit pas aux médecins et, dans un élan de cruauté surhumaine, il réclame sa vengeance : « Si j'étais médecin, dit-il, quand il sera sur le point de mourir, je le laisserais sans aide... je lui dirais : Crève, crève ! ». Et Molière, au travers de Béralde, assure qu'il ne demandera jamais le secours de ses médecins : « Il a ses raisons pour n'en point vouloir, et il soutient que cela n'est permis qu'aux gens vigoureux et robustes, et qui ont des forces de reste pour porter les remèdes avec la maladie ; mais que, pour lui, il *n'a justement de la force que pour porter son mal* ». Déclaration, comme nous l'avons déjà dit, de solitude désespérée et de courage.

2. Il est tout à fait inutile que l'on se donne du mal, comme on fait d'habitude, pour rechercher les sources de la comédie. Même si l'on retrouve les modèles traditionnels dans l'intrigue et dans son canevas, les sources authentiques du *Malade imaginaire* doivent être recherchées uniquement dans l'histoire de Molière, dans son passé et dans ces quelques lueurs que, de son vivant, les interprétations satiriques avaient jetées sur sa personne, en même temps que dans la réalité sociale qui accueillait ou repoussait ces modèles. Un personnage de comédie n'incarne pas des vérités absolues. Il devient un personnage comique si, dans sa déformation, il est reconnu comme actuel par la société à laquelle il est destiné. Si, dans le courant de ce siècle, il n'avait pas existé d'autres malades imaginaires, Molière n'aurait pas écrit une comédie. Mais Argan parvient à faire résonner d'autres échos au-delà de son siècle.

À une époque comme la nôtre, faite de neurasthéniques qui croient aveuglément à la science et qui n'ont substantiellement aucune volonté de guérir, où les médecins sont partout et les pharmacies, avec leurs étagères aussi hautes que des bibliothèques, sont remplies de tranquillisants, d'antibiotiques et de vitamines, Argan est notre contemporain, baignant dans un réalisme existentiel qui est aussi le nôtre. En éloignant dans le temps la comédie, avec son intrigue traditionnelle, et la réléguant dans son paradigme classique, Molière la rapproche ensuite de nous pour provoquer un rire non dépourvu de souffrance. Là réside la lumière tout à fait sinistre, ou d'un comique noir, jetée sur la comédie. Peut-on s'amuser à lancer un défi à la maladie, en amenant sur scène un souffrant, un maniaque, un malheureux ? Molière peut ne pas avoir de pitié pour son personnage, il peut mettre en scène une apothéose burlesque de la médecine parce qu'il est lui-même un malade. Et l'insistance avec laquelle, depuis l'époque de *Dom Juan, il* lançait ses attaques aux médecins avec un acharnement sans répit, révélait quelque chose de plus profond. Le thème cessa d'être un thème littéraire qui reflétait ses convictions personnelles, pour devenir un épanchement personnel, qui intéressait sa propre vie. Les attaques contre les médecins augmentaient d'intensité au fur et à mesure que se creusait en lui une certitude : la certitude d'être condamné.

Il était inévitable qu'Argan et son auteur, comme divisés en deux entités inconciliables, dussent se rencontrer sur la scène en un duel mortel. Ce fut un dédoublement digne d'un drame expressionniste, celui qui eut lieu le 17 février 1673, au cours de la quatrième représentation de la comédie –, une entrée impétueuse du théâtre dans la vie. Quand Molière, dans le rôle d'Argan, fut saisi par un accès de toux et de sang tel qu'il mourut chez lui quelques heures plus tard, la cruelle vaticination du malade imaginaire se vérifia. Un auteur était éliminé, sur la scène, par son propre personnage. Une fois la raison défaite, le vil, le fol Argan proclamait sa victoire.

[1974]

III

Un personnage non réalisé
Conversation imaginaire avec la fille de Molière

> Il n'a laissé qu'une fille : Mademoiselle Poquelin fait connaître par l'arrangement de sa conduite, et par la solidité et l'agrément de sa conversation, qu'elle a moins hérité des biens de son père que de ses bonnes qualités.
>
> *Grimarest*

Dans le courant du printemps 1705, un jeune homme, qui aspirait à devenir auteur de théâtre, arriva de sa province à Paris. Il adorait fanatiquement Molière, et, après avoir lu d'un seul trait la Vie *de Grimarest (dans laquelle on flairait déjà un succès de scandale), il décida d'aller trouver la fille unique du grand acteur, l'unique témoin de la famille qui fût encore en vie.*

Il savait qu'il n'était pas facile de se faire recevoir. La demoiselle d'un certain âge, d'environ quarante ans à présent, voyait peu de monde et vivait cloîtrée dans un austère retranchement. Même ses manières, disait-on, étaient quelque peu brusques. Mais lui, en bon provincial avisé, prit longtemps à l'avance toutes les précautions nécessaires. Il apprêta autour de sa victime un réseau dense d'embuscades : souvenirs d'anciennes amitiés, de relations défuntes, de rencontres occasionnelles, vraies ou inventées. La demoiselle, on ne sait comment, mordit à l'hameçon. Le jour et l'heure de l'entrevue furent décidés, grâce à un intermédiaire.

Elle habitait dans ce passage qui de la rue de Tournon mène à la rue de Condé ; il s'appelait alors rue du Petit-Lion et c'est aujourd'hui une partie de la rue Saint-Sulpice. Le jour convenu, le jeune homme, qui était parti à temps de chez lui, se retrouva devant l'église monumentale de Saint-Sulpice alors en construction, et à quelques pas de la maison de mademoiselle, bien plus tôt qu'il ne l'avait prévu. Il avait traversé le Pont-Neuf à l'heure la plus bruyante, lorsque, autour du cheval de bronze dressé comme un fantôme sur son large piédestal et protégé d'une haute grille, s'agitait une population pittoresque et crasseuse de chanteurs, de musiciens, d'arracheurs de dents, d'acteurs improvisés, de charlatans et de vendeurs ambulants. Il était préoccupé, presque soucieux. En remâchant ce qu'il allait dire, il ne savait plus par où commencer. Mais le silence de ce quartier où on respirait une atmosphère presque religieuse le tranquillisa. Il frappa à la porte. On le fit entrer dans une vaste pièce.

Tout était propre, en ordre et dans des teintes pâles. Une grande tapisserie flamande, qui représentait un paysage profond et bariolé, aux arbres immenses et aux figures si minuscules qu'elles disparaissaient dans la densité du feuillage, occupait tout un mur. Sur le mur d'en face, au-dessus d'une cheminée, scintillait une longue série d'assiettes en porcelaine bleue. Dans la pièce, la couleur bleue dominait. D'un bleu sombre la tapisserie qui recouvrait le canapé en noyer, les fauteuils, les sièges ; d'un bleu plus clair les rideaux qui ornaient les quatre fenêtres. Seuls les rideaux de deux autres fenêtres étaient en taffetas cramoisi, unique note vive sur les tons de l'ensemble. Sur un autre mur, un tableau semblait représenter une scène de comédie. Des meubles très brillants, un petit bureau en écailles de tortue, des glaces aux cadres dorés, deux petits vases avec des fleurs sur une table, deux seaux en céramique émaillée et quelques tabourets complétaient l'ameublement.

La maîtresse de maison ne se fit pas attendre. Venant de son petit cabinet, elle apparut à l'improviste dans l'encadrement de la porte. Elle était grande, les traits fortement dessinés, un peu irréguliers mais nobles, avec des yeux qui exprimaient l'habitude de la piété recueillie et sévère, mais qui envoyaient de soudaines lueurs, comme s'ils s'éveillaient, et elle avait des mains aux longs doigts fuselés, d'une minceur extraordinairement fragile. Sa robe était en velours très sombre avec des manches en satin. Ses cheveux abondants étaient serrés par une coiffe d'où descendait jusqu'au cou un voile très léger qui donnait à sa figure une allure monacale. Avec une gentillesse un peu embarrassée, elle pria le jeune homme de s'asseoir dans le fauteuil près de la cheminée et elle l'invita à parler.

Les premières paroles furent des mots d'excuses, de protestation : des civilités cérémonieuses qu'elle sembla ne pas refuser. Le jeune homme se donna du courage, et, réconforté, il commença à dire, presque sans s'en apercevoir et avec précipitation, des choses tout à fait différentes de celles qu'il avait déjà préparées. Et il n'eut même pas le temps de s'en repentir.

« Pardonnez-moi encore, Mademoiselle. En qualité de modeste chercheur intéressé à tout ce qui se réfère aux œuvres et à la personne de votre père, J'ai toujours admiré en vous, comment dirais-je ? la réserve. Nombreux sont ceux qui ignorent jusqu'à votre existence. Ils ignorent que vous êtes la fille unique de Molière et que la descendance de Molière peut s'éteindre avec vous. Si vous saviez combien j'ai pensé à

vous ! Et, poursuivant en esprit votre image, j'ai plusieurs fois été arrêté par le souvenir d'une de ces figures que ceux qui, comme vous, ont fréquenté les couvents, peuvent avoir vues peintes sur les murs des longs couloirs : une silhouette qui porte l'index aux lèvres, avec au-dessus de la tête cette inscription : Silentium. *C'est cette quantité de silence qui exalte un romancier et lui permet de construire un personnage. Mais je ne suis pas un romancier. Je ne suis pas même un historien. Je ne suis que quelqu'un qui a beaucoup aimé et qui aime encore beaucoup votre père. Et je me suis demandé : pourquoi cette femme a-t-elle voulu s'effacer, disparaître et, au fur et à mesure que l'âge avançait, se cacher toujours davantage ? Pour quelle raison, à cause de quel secret, n'avez-vous jamais voulu parler ? Pour quelle raison, n'ayant aucune vocation (que je sache) pour la vie religieuse, êtes-vous passée, comme pensionnaire, d'un couvent à l'autre, et avez-vous mené la vie d'une religieuse sans l'être, sans vous sentir telle ?* »

« Lorsque je me suis décidée à vous recevoir, j'ai cru que notre conversation allait être une aimable, courte et distraite conversation entre deux personnes qui ne se connaissent pas. Je vois peu de gens, comme vous le savez. Aucune des personnes que je vois n'a eu le mauvais goût de transformer une conversation en un interrogatoire. Je n'ai jamais aimé les interrogatoires, même quand ils sont adressés avec habileté, de façon rusée, avec l'urbanité dont notre société ne cesse pas d'offrir des exemples, avec l'hypocrisie la plus subtile, devant laquelle je me sens comme désarmée. Je pourrais vous renvoyer, me retirer. Mais je suis frappée par le fait que vous, je le vois, vous n'êtes ni rusé, ni habile, ni urbain ; que vous affrontez n'importe quel risque sans vous rendre compte de ce que vous faites, ni de ce que sont l'urbanité et les manières. Vous avez certainement vécu longtemps en dehors de Paris, peut-être à la campagne, quoique aujourd'hui la campagne soit aussi corrompue que la ville. Et je dois avouer que votre maladresse me désarme. Elle est comme l'expression déplacée de la candeur. Je vous répondrai en vous adressant à mon tour une question. Peut-on demander à une femme pour quelle raison elle aime les arbres dégarnis, la nature en automne, pour quelle raison elle préfére l'ombre à la lumière ? C'est un fait. Il n'admet pas d'explications. »

« *Je vous prie de pardonner mon ingénuité. Je me suis engagé sur une voie qui mène à un précipice, et je ne peux faire marche arrière, mais peut-être que le précipice est mon salut. Je ne veux point que vous dévoiliez quelque secret. Votre personne, pardonnez-moi, ne m'intéresse pas. Ce qui en vous m'intéresse c'est seulement la fille de Molière. Et les mots que vous direz, considérez-les simplement comme un tribut d'amour à votre père, à la vérité. On peut continuer à vivre dans l'ombre, continuer à n'être "personne", et parler. Parler, non pas comme, j'imagine, vous avez parlé avec monsieur de Grimarest, mais différemment : avec cette sincérité, ce transport dont on fait preuve devant qui veut simplement savoir et ne veut pas écrire un livre. Savoir comment la personne de votre père s'est ouverte et révélée à votre âme d'enfant, quand encore vous ne parveniez pas à comprendre qui vous aviez près de vous... ce qu'il était, ce qu'il faisait...* »

« Oui, quelque chose de violent et d'amoureux... [*puis, se reprenant*]... Le monde de mon enfance... »

« *Oui, le monde de votre enfance, près de Molière, près de votre mère...* »

« Ce sont des choses lointaines, qui surgissent dans ma mémoire de façon vague, imprécise... Et elles devraient rester enterrées... J'aimerais, moi aussi, qu'elles disparaissent à jamais, mais elles ont peut-être déjà disparu... je n'ai aucune envie de revenir en arrière... C'est une grande miséricorde de Dieu que le passé parvienne à se détruire, avec ses morts, ses fantômes, les scènes horribles, les équivoques, la jalousie, l'envie, la douleur... Peut-être voudrais-je que seuls réapparaissent les premiers temps de mon enfance... Mais ces toutes premières années ne concernent que moi et je ne vois pas ce qu'elles ont à voir avec notre conversation, une conversation avec vous que je connais à peine. »

« *Oui, les premières années dans les maisons de votre enfance, près de Molière, de votre mère... Parvenez-vous à vous souvenir, à me dire quelque chose ?...* »

« Je me souviens bien de la maison où je suis née. J'y suis restée, toute petite, les quelques années que j'ai vécues avec mon père... J'ai bien en mémoire le plan de la maison, l'emplacement des chambres, les deux entrées, comme dans le dessin précis d'un livre d'école. Il y avait, en face de la maison, un château d'eau : c'était la construction pour un réservoir d'eau sur laquelle étaient peintes des décorations et des fenêtres en trompe-l'œil. J'observais longuement le dessin de ces fenêtres. Ce n'était pas pour moi des fenêtres en trompe-l'œil, mais des fenêtres murées. Derrière elles, il n'y avait pas le plein, mais le vide. J'imaginais avec frayeur des jeunes filles cloîtrées, emprisonnées, sans air, sans lumière. On me racontait des histoires de jeunes filles dans des châteaux solitaires. Ce nom, château d'eau, évoquait pour moi des fontaines fatales, des ogres, des dragons.

Un autre souvenir. Ma marraine Madeleine, que j'aimais beaucoup, m'amena visiter les jardins du Palais-Royal par un après-midi d'été. C'était une journée très claire, peu propice aux apparitions. Nous traversâmes un grand pré avec de l'herbe déjà haute et bien sarclée. Mais je m'aperçus soudain qu'au milieu du pré se dressait un petit fort comme on peut en voir dans les campagnes les plus inaccessibles et dans les lieux les plus solitaires. C'était un fort en miniature bâti pour le Roi enfant, avec toutes les astuces et le goût des accessoires, comme s'il s'agissait d'un véritable et authentique fortin. Plus que d'un jouet colossal, j'eus l'impression qu'il s'agissait d'un objet fabuleux, digne d'un roman de chevalerie, le théâtre d'une bataille imaginaire. Bastions, barbacanes, galeries, meurtrières, guérites, glacis, tourelles, je crois qu'il y avait même un pont-levis... D'un côté pour se défendre, de l'autre pour assiéger, attaquer, s'emparer. C'était une tragédie de Corneille en miniature, le siège de batailles victorieuses ou perdues, celles-là mêmes que l'on ne voit jamais sur nos scènes. C'est ainsi que le Roi jouait à la guerre, comme si la guerre n'était que le lieu d'un grand théâtre. Je commençai à aimer la tragédie pour son irréalité, pour les fantaisies qu'elle évoquait. J'admirais ma tante Madeleine qui jouait le rôle d'Épicharis dans *La Mort de Sénèque* de Tristan. »

« La maison dont vous parlez est celle de la rue Saint-Thomas du Louvre. »

« Oui. L'enfance pour moi commence et continue dans cette maison, insupportablement bruyante, gaie et joyeuse, mais aussi d'une tristesse dont je ressens la peine aujourd'hui encore, sous l'emprise de ces silences terribles qui suivent les disputes, les cris des personnes qui s'aiment et se haïssent et je ne comprenais pas si elles s'aimaient ou si elles se haïssaient. Dans cette maison, les divers appartements étaient occupés par nous et par la famille Béjart. C'était toute une famille d'acteurs. Le père, Joseph, je ne l'ai pas connu. Il est mort plusieurs années avant que je naisse. On me disait – presque pour l'orgueil d'une famille dont tous les représentants s'étaient dédiés au théâtre – que lui aussi avait joué dans sa jeunesse. Je sais seulement qu'il était huissier audiencier des eaux et forêts. Mais le fait que cet homme modeste eût engendré toute une famille d'acteurs, qu'il gardât dans son sang cette maladie du théâtre et qu'il ne l'eût, pour ce qui était de lui, jamais manifestée, est encore pour moi quelque peu énigmatique.

Je n'ai même pas connu le fils de Joseph, l'aîné de la famille. C'est étrange. Le destin de cet acteur fut semblable à celui de mon père. Il bégayait légèrement, comme mon père. Au cours d'une représentation de *L'Étourdi* (il jouait le rôle du vieux Pandolfe), il se sentit mal. On le transporta chez lui ; il mourut.

À l'étage le plus haut habitait ma grand-mère, Marie Hervé, la veuve de l'huissier, mère des trois acteurs de *l'Illustre théâtre,* Joseph, Madeleine et Geneviève. Elle vivait avec Geneviève et avec son beau-fils Léonard de Loménie de La Villaubrun. Ma tante Geneviève, comme vous le savez peut- être, avait pris comme nom d'artiste celui de sa mère, Mademoiselle Hervé. Vous savez aussi qu'elle a interprété plusieurs rôles dans les comédies de Molière : Aristion dans *Les Amants magnifiques,* Bélise dans *Les Femmes savantes*. Elle figure avec son nom dans *L'Impromptu de Versailles,* mais ce ne fut certes pas une grande actrice.

Je me souviens très bien de l'appartement où habitait ma tante Madeleine, parce que j'y passais les heures les plus tranquilles de ma journée. La chambre à coucher donnait sur une cour silencieuse. Les bruits de la rue, les cris des vendeurs ambulants, le fracas des voitures y parvenaient amortis. Elle était pleine d'objets étranges, curieux. Ma tante me montrait ses bijoux, bagues avec diamant, améthyste, saphir, ses colliers de grosses perles. Elle sortait de coffres profonds ses costumes de théâtre, des robes en brocart d'or, des jupons de satin brodés d'or et d'argent, ou des déshabillés en satin de Gênes garnis de dentelles d'argent, des manteaux de taffetas noir, des vêtements de velours couleur cerise ou rouge feu qui m'aveuglaient. Madeleine me demandait: "Tu aimerais être actrice ?" Moi, je ne répondais pas.

Dans cette même maison habitait un autre Béjart, Louis, le plus jeune de tous, dit *L'Éguisé*. C'était un homme qui répondait du tac au tac, d'une vivacité extraordinaire. Il m'amusait avec ses imitations d'animaux, de chiens, de loups. Mais il quitta le théâtre et jamais je n'en compris la raison. Peut-être, pensai-je, parce qu'il boitait et qu'il n'aurait pas pu toute sa vie durant jouer le rôle du boiteux. J'avais cinq ans lorsque je le vis jouer aux côtés de mon père, dans *L'Avare*. Dès cette époque mon père commençait à être pris d'une toux insistante qui l'empêchait parfois de parler. Il s'essouflait sur scène. Cette toux, qui était bien la sienne, devint la toux de son personnage, Harpagon. Louis boitait, et le domestique de Cléante, La Flèche, devint boiteux lui aussi, et cette plongée de tout son corps d'un seul côté faisait rire les spectateurs. Et je fus blessée comme par un coup de cravache au visage, comme d'une offense honteuse et brûlante, par la scène où mon père, malade au théâtre et dans la vie, apostrophait sur les planches un homme marqué par une atroce infirmité, et l'appelait, pour faire rire le public maudit, "ce chien de boiteux-là".

Dès ce moment, j'eus la révélation que le théâtre, le théâtre comique, était dans sa substance essentiellement cruel : cruel et ignoble. je commençai à découvrir l'ignominie du rire. »

« Gardez-vous cependant un souvenir agréable de ces années de Saint-Thomas du Louvre ? Les couleurs de votre enfance sont tout de même attachées à ces murs, aux êtres qui y habitaient, dont la vie recevait un relief exceptionnel grâce à la grande figure de votre père. »

« Oui. Jusqu'au jour où ont commencé les morts, les deuils. La mort de Madeleine, qui fut la première douleur de ma vie. Puis celle du bon Léonard, le mari de ma tante Geneviève. Mais Geneviève ne s'en fit pas trop. Elle se remaria quelque temps après avec Aubry, bien qu'elle ne fût plus très jeune (elle avait cinquante ans environ) et qu'elle eût un fils. Ces parentes, y compris ma mère, ne pouvaient vivre sans un homme à la maison. Après la mort d'un mari, elles en prenaient un autre. Madeleine en revanche...

Madeleine était plus âgée que mon père. Mais sa disparition le secoua durement. Il lui restait un an de vie à peine. Il pressentit peut-être un avertissement dans cette mort : que sa fin à lui aussi était marquée et à courte échéance. Il se sentait seul, privé d'affection. Il connaissait Madeleine depuis les années où, tout jeune, il voyageait avec sa troupe dans le Sud de la France, ces années de désordres. Je sentais vaguement alors qu'à cette époque, certes, ils s'étaient aimés. Il continuait à la traiter avec égard, à la regarder et à lui parler différemment de sa manière habituelle de s'adresser aux autres acteurs : avec un mélange de respect et d'affection, de gratitude presque, comme s'il avait quelque chose à se reprocher. D'autres fois, il avait vis-à-vis d'elle une animosité qui confinait à de la rancune, à un ressentiment railleur qui me paraissait inexplicable, comme s'il jugeait qu'elle était responsable de quelque chose que je ne comprenais pas.

Il était malade. Il ne voulait pas se soigner. Il avait ses éclats soudains, terribles, comme s'il nourrissait une irritation sourde contre tous. Puis il s'enfermait dans un silence total. Et passaient quelques secondes qui semblaient interminables. On eût entendu voler une mouche. Moi, je fuyais dans ma chambre. »

« *Vous avez vécu dans la maison de Saint-Thomas jusqu'à la mort de Molière ?* »

« Non. Les dernières années de sa vie, mon père essayait de s'éloigner de Paris, de cette maison pour des périodes longues ou courtes – en fonction de son travail –. Je crois que cela arrivait déjà deux ou trois ans après le mariage avec ma mère. Souvent – ce sont des souvenirs de quelque temps plus tard – je l'ai entendu répéter, dans ces moments d'abattement, de mélancolie, seul dans sa chambre, dans la demi-obscurité (sans que je pus m'approcher de lui – et je le savais), murmurer mécaniquement en lui-même, répétant les mots avec des tons de voix différents, comme s'il était en train de chercher l'intonation juste d'une réplique : "je veux rester tranquille... je veux rester tranquille... Je dois rester tranquille..."

J'ai pensé plus tard, en resongeant à ces années et à la confusion de cette maison, à l'effet pénible que provoquait peut-être chez lui, malade des nerfs (et qui avait contre lui une grande partie du public et n'arrêtait pas de se mettre à dos des ennemis, médecins ou prêtres, faux dévots ou maris cocus ou intellectuelles fanatiques), de retrouver tous les jours à la maison les personnages qu'il avait laissés sur scène, devenus des êtres réels, continuant ainsi dans la vie ce même théâtre : c'est-à-dire continuant à se disputer avec ma mère dans sa chambre après s'être disputé avec elle sur scène, ou bien à rire et faire rire au théâtre alors que chez lui ces mêmes personnages, sans plus de costumes, ne lui causaient qu'une sourde exaspération qui confinait à la haine. En somme, être obligé de faire le jaloux sur les planches et ne pas cesser de l'être dans la vie, dans la vie de tous les jours, de tous les instants...

Ce fut bien pour cette raison, je crois, parce qu'il ne trouvait plus chez lui aucun refuge, aucune consolation (j'étais trop petite et dans la nécessité, moi-même, d'une protection, une protection qu'il ne pouvait pas me donner), et pas seulement à cause de l'histoire de *Tartuffe* et des persécutions qui ne le laissaient guère tranquille, qu'il décida d'abandonner pour des périodes longues ou courtes, comme je le disais, la maison de Paris, et d'aller à la campagne, au village d'Auteuil, suivant les conseils de son ami Chapelle, un homme que j'ai bien connu et pour lequel je n'ai jamais nourri beaucoup de tendresse. »

« Pourtant Chapelle a été et reste encore un personnage célèbre dans la vie de Molière. »

« C'était un être étrange, un de ces compagnons de jeunesse que l'on traîne derrière soi toute une vie, qui apparaissent et disparaissent. Mais ses apparitions à l'improviste et bruyantes – comme celles de quelqu'un qui jouissait d'une bonne santé, qui aimait le vin et invitait les autres à en boire pour chasser, disait-il, l'image de la mort – ces apparitions inattendues, disais-je, n'avaient pas toujours un effet bénéfique sur mon père. Chapelle ne travaillait pas et mon père s'était imposé une discipline qui était supérieure à ses forces. Chapelle se sentait jeune, mon père se sentait vieux et ménageait son organisme avec délicatesse et parcimonie : il mangeait peu, rien que des nourritures simples, et souvent, avant d'aller se coucher, ne prenait qu'un morceau de fromage parmesan et un peu de lait... Chapelle était un de ces libertins chez qui la certitude de la mort exaltait l'amour de la vie et le plaisir démesuré des sens. S'il conseilla à Molière de prendre en location la maison d'Auteuil, ce fut pour le convaincre de s'amuser, de se libérer des ennuis familiaux, de faire la noce en compagnie d'amis, de banqueter... »

« *Votre père prenait-il part à ces banquets ?...* »

« Très rarement, pour ce que j'en sais, et d'après ce que l'on m'a raconté. Ce fut encore Chapelle le responsable du chahut qui empêcha de dormir les paysans et les pacifiques habitants de cette campagne le soir où, après avoir mangé et bu, et avoir improvisé dans les vapeurs du vin les discours habituels sur la vanité des choses humaines, lui et les amis qu'il avait amenés, décidèrent, pour en finir, de se noyer dans les eaux de la Seine. Mon père qui, fatigué, était déjà au lit, fut éveillé en sursaut par ce tapage, rattrapa ses amis et les convainquit de revenir en arrière : il leur dit qu'ils auraient dû se tuer non de nuit, comme si se tuer était un acte honteux, mais à la clarté du jour, en plein soleil. Cela eût été un véritable défi à la vie.

Non. Auteuil, près du Bois de Boulogne, près de la Seine, fut un lieu de repos pour mon père. Ma mère, les quelques fois qu'elle y alla, n'y restait pas dormir : elle rentrait le soir même. Moi, j'y demeurai parfois quelques jours. Il avait amené avec lui une quarantaine de volumes, mais aucun livre de théâtre, comme s'il avait voulu oublier jusqu'à son métier à Auteuil. Aucune des nombreuses comédies françaises, italiennes ou espagnoles qu'il possédait, mais Plutarque, Hérodote, Diodore de Sicile, César, Horace, Ovide, Montaigne, Balzac. Il les lisait tranquillement étendu sur son lit le matin, au chant des coqs qui, disait-il, calmait ses nerfs. »

« *Mais vivre seul, à la campagne, sans un parent, un ami, à la merci de personnages turbulents... Comment faisait-il ?* »

« Il ne vivait pas seul. Il n'aurait jamais su vivre seul. Les gens de l'endroit lui tenaient compagnie, la Ravigotte, la jardinière, et Michel Baron qui n'était alors pas plus qu'un garçon et qui même à Paris vivait avec nous... »

« *Baron, m'a-t-on dit, était très beau à cette époque...* »

« Très beau et impénétrable comme le visage des dieux de la Grèce. Il avait dix à douze ans de plus que moi, et à travers ses gestes, son regard, sa voix, on devinait le grand acteur. Il a vécu très longtemps chez nous. C'était comme un frère et je ne nourrissais aucune forme de jalousie vis-à-vis de ce garçon que mon père aimait plus que moi, qu'il avait découvert et élevé comme un fils. Mais "il y a toujours eu du je ne sais quoi en tout M. Michel Baron". Cette phrase, que le cardinal de Retz a consacrée au duc de La Rochefoucauld dans un portrait que j'ai connu grâce à une amie de madame de Sévigné, me revient souvent à l'esprit. Il y avait et il y a encore quelque chose d'incompréhensible en lui. Élevé par Molière, donc, auquel il devait tout, il s'était soudainement éloigné de chez nous et de la compagnie, m'avait-on dit, juste dans les années où j'allais naître. Un jour, ma mère, dans un mouvement de jalousie, l'avait giflé. Puis il revint, il recommença à jouer dans la compagnie, dans *Psyché*, dans *Les Fourberies de Scapin,* dans *Les Femmes savantes,* mais sa présence dans notre maison recommença à être à la fois une consolation et un martyre pour tout le monde. Je ne peux pas dire qu'il ne se montrât pas affectueux, attaché, mais quelque temps après la mort de mon père, il passa de l'autre côté, chez les acteurs de l'Hôtel de Bourgogne, pour réciter des tragédies, les tragédies de Racine pour lequel, comme on sait, Molière n'eut jamais beaucoup de tendresse. Et, encore une fois soudainement, au comble de sa gloire d'acteur, à l'âge de trente-huit ans, il a abandonné pour toujours la scène, et personne n'en a jamais compris la raison. Aujourd'hui je ne sais même pas où il se trouve ni ce qu'il fait. Je ne l'ai plus vu. En écrivant des comédies, en se donnant tout entier au jeu tragique, peut-être cultivait-il l'ambition de devenir plus grand que Molière. Mais La Bruyère a esquissé de lui un portrait atroce : « Pour déclamer parfaitement il ne lui manque que de parler avec la bouche ». Il parlait avec le nez comme les Comédiens de l'Hôtel de Bourgogne, parce qu'il a trop prisé de tabac. Mais où es-tu à présent, si beau Baron ?... »

« Pardonnez-moi de vous interrompre et de revenir à Molière. Depuis ce moment aviez-vous senti (même si les personnes

qui vivaient auprès de vous rendaient vos jours agréables) que l'existence, le fait de "vivre" devenait de plus en plus intolérable pour votre père ? »

« Très vaguement. Moins vaguement, certes, quand je percevais le bruit des disputes qui m'obligeaient à m'éloigner. Je ne sais même pas si j'éprouvais de la douleur. Mais les enfants n'oublient pas. Ils ne se détournent pas si vite. Et en resongeant à certaines phrases presque hachées : "Pourquoi une telle vie pour moi, alors que les autres vivent tranquilles, sereins ?", j'ai réalisé que justement les années de mon enfance, presque gaies pour moi, ont dû être ses années les plus malheureuses, et, comme tous les autres, j'ai moi aussi fini par ne rien lui donner, ni consolation, ni affection ; et je n'arrive pas aujourd'hui à en ressentir du remords. Si je m'approchais de lui, dans ces moments de découragement, je sentais que ma présence l'irritait. »

« *Mais croyez-vous qu'il faisait allusion à quelqu'un de bien précis, quand il disait que les autres vivaient tranquilles, sereins ?* »

« Je ne sais pas. Mais bien plus tard, j'ai moi-même établi des rapports, des comparaisons. J'ai rapproché son destin du destin d'autres poètes, d'autres hommes de théâtre. De Racine, par exemple.

Racine eut un tout autre destin. Il était lui aussi homme de théâtre, c'était un poète, mais par bonheur il n'était pas acteur. Il écrivait ses tragédies, il les écrivait en de très beaux alexandrins, et d'autres, la Duparc, la Champmeslé, les lui jouaient. Cela veut dire qu'il ne se détruisait pas lui-même sur la scène. Il ne transpirait pas, il ne se démenait pas. Il restait dans son bureau ou assistait aux répétitions. Il donnait quelques conseils, quelques éloges, quelques corrections, comme font les grands messieurs de la plume ou les grands architectes qui laissent à d'autres l'exécution de leurs projets. Et si on le critiquait, les protestations allaient aux interprètes. Lui, il était loin.

Mon père, par contre, était toujours proche, il était toujours là, sur la scène. Les protestations du public étaient déchargées sur sa tête, sur lui seul, comme acteur et comme auteur. C'était lui le responsable, qui devait payer pour tous, et il était facile de le lui faire payer. Parce que... parce que c'était un acteur. Certes, le Roi, le Grand Condé, le duc de Vivonne et tant d'autres nobles lui accordaient leur amitié, mais personne n'arriva jamais à lui arracher la marque d'infamie de sa profession, elle resta à jamais imprimée dans sa chair, jusqu'à sa mort, jusqu'après sa mort. Et si le poète Racine, grand auteur tragique, adorateur exquis de ses Grecs et qui considérait l'Olympe comme un grand salon, entra très jeune à l'Académie, Molière, qui était aussi poète que lui, n'y entra jamais.

Mais pardonnez-moi de trop m'étendre sur tout cela... »

« *Non, je vous en prie, continuez...* »

« C'est que le destin de Racine, de son mariage, s'est toujours présenté à moi, d'après ce que je savais, et d'après ce que j'entendais dire, comme l'image la plus pure du bonheur conjugal.

Ils s'étaient l'un et l'autre mariés tard, mais Racine eut sept enfants, et mon père, n'eut à peine qu'un seul enfant vivant, moi, dont on ne peut vraiment pas dire, pour citer un vers *d'Athalie*, que je fus la "chère et dernière fleur d'une tige si belle". Il avait épousé une actrice. Racine préférait garder les actrices comme maîtresses. Et quand il décida de se marier, il épousa une femme qui ne vit en lui que le mari et le père de ses enfants, alors que ma mère ne vit mon père que comme Molière et l'épousa parce qu'il était Molière. J'ignorais intentionnellement, je crois, ce qui se nichait derrière ce bonheur : peut-être beaucoup d'amertume, beaucoup de tristesse, mais la tristesse est un des visages de la sérénité, comme la mienne dans ces années-ci, en ce moment même... Il ne m'intéressait pas de chercher à savoir si Racine était plus grand poète que mon père. Il me suffisait de le considérer comme un mari heureux. Et je n'acceptais pas cette "réalité". Je la considérais comme une sorte d'insulte à la mémoire de mon père. »

« *Pourquoi donc une insulte ?* »

« Ne faites pas attention à mes mots... Je savais que lui aussi avait fait circuler des interprétations diffamatoires sur le mariage de Molière. Et cela ne m'étonne pas, car Racine n'a jamais aimé mon père, dès l'époque de sa jeunesse, presque encore enfant, gâté par les femmes, et avec cette carrière splendide devant lui... Et je pensais alors à la vie de Molière en province, d'une contrée à l'autre, menant une vie misérable avec une compagnie misérable, réduit à représenter des farces ignobles, criblé de dettes, passant des rires de la scène à l'humidité froide de la prison. À Molière qui, pendant toute son existence, n'a jamais quitté les planches, même quand il tomba malade, même quand il n'y arrivait plus. La scène a été sa vie et sa mort. »

« *Ce que vous dites, Mademoiselle, pardonnez-moi, est un peu injuste... Racine a quitté le théâtre pour des raisons supérieures, pour des raisons de conscience.* »

« Laissez-moi alors être injuste. C'est un beau mot la conscience, mais il faut essayer de ne pas la faire taire quand cela nous convient. Racine a dû choisir entre la religion et le théâtre, entre la paix de l'âme et le théâtre. Je me demande alors : cet homme, aimait-il vraiment le théâtre ? Et qu'est-ce que c'était que cette peur ? Oui, je le répète, il y avait peut-être une amertume secrète dans son silence, mais c'était une amertume consolée par la religion, par l'idée du salut de l'âme. Pour aucune raison mon père n'aurait sacrifié le théâtre à sa propre conscience, au salut de l'âme. Si sur la scène les casseroles des diables avaient été en ébullition, il s'y serait jeté dedans, comme de fait il s'y jeta. Si sur scène son âme avait brûlé, il l'aurait brûlée, comme de fait il la brûla. Et vous ne vous doutez pas avec quel tremblement je dis ces choses-là... Et pourtant, avec toutes les infamies qui me sont tombées dessus au nom de mes parents, et m'ont obligée à éloigner de moi toute idée confuse de bonheur, à accepter toute sorte de renoncement, je ne parviens pas à préférer le destin de ce grand poète de cour. »

« Pardonnez-moi, Mademoiselle, si je me permets... C'est une idée fixe chez vous, une forme d'obsession... »

« Appelez-la comme vous voulez... Mais je n'arrive pas à ôter une scène de mon esprit, une brève et affectueuse scène de ménage : le retour de Racine dans sa demeure. Ne croyez pas qu'il s'agisse d'une fantaisie.

Racine n'est plus jeune, et il n'est même plus beau comme autrefois. Il a grossi. Il a pris du ventre. Un léger embompoint court jusqu'à ses jambes et l'empêche de marcher rapidement. Ses joues se sont épaissies, elles pèsent sur ses mâchoires. Ses yeux ont perdu la vivacité d'antan, pleins de feu et d'ambitions. Ce sont désormais les yeux languissants d'un vieux vicieux. Il a épousé depuis peu une femme ignorant les lettres et poussant l'indifférence pour la poésie jusqu'à ignorer ce qu'est un vers. Elle n'a jamais assisté à la représentation d'une tragédie de son mari. Ce qui les a réuni ce n'est pas l'amour mais la religion, et la religion ne réserve pas de surprises.

Lorsque cet homme rentrait chez lui de Versailles, après avoir vu le Roi, les yeux pleins de cette vision lumineuse et auguste, une femme simple et expéditive venait à sa rencontre. Un jour où il revenait joyeux, avec dans sa poche une bourse sonnante de mille louis, cadeau du roi, il l'annonça à sa femme, celle-ci sembla presque ne pas l'écouter. Ce n'est pas cet argent qui l'intéressait, mais le fait qu'un des enfants ce jour-là n'avait pas ouvert un seul livre. C'est l'image parfaite du bonheur conjugal.

Cette image, mon père ne l'a pas connue, ni sur scène, ni dans la vie. Il a été au théâtre, depuis le début de son activité jusqu'à la dernière comédie, de *La Jalousie du Barbouillé* jusqu'au *Malade imaginaire,* le plus grand « chantre » du malheur conjugal. Ce qui me frappe c'est que pour sa part, il mettait une obstination dans le refus de ce bonheur. Exactement comme dans *Le Misanthrope.* »

« *Mais je me demande s'il n'y a pas chez vous aussi un peu de cette obstination, Mademoiselle. La familiarité que vous avez eue depuis votre enfance avec les personnages créés par votre père, la façon dont vous avez assimilé l'essence de ce monde – ridicule et atroce –, le fait d'avoir vécu les premières années de votre vie, les années de votre formation, en un milieu domestique, comment dire ? peu serein : tout cela n'a-t-il pas influencé vos décisions, vos choix, le rythme de votre existence, votre amour pour la solitude ?* »

« Vous me regardez, vous m'observez dans le silence de cette maison. Vous comparez l'atmosphère de cette maison avec celle de Saint-Thomas dont je vous parlais... Ce vacarme-là et ce silence-ci. Tous ces gens-là... et moi, seule ici, maintenant... dans cet ordre, dans cette propreté, les objets bien présentés sur les meubles, des rideaux clairs aux fenêtres... Ici, on respire l'air de ces beaux petits tableaux flamands que j'aime, avec toutes les choses bien en place, et les sols brillants et les chambres l'une à la suite de l'autre et où l'on ne voit pas d'enfants, où on n'entend pas la joie des enfants... Mais ce silence, cette sereine absence de bonheur n'arrivent pas à me libérer de certaines pensées, de certains fantômes, de certains remords... »

« *Quelles pensées, quels remords ? De quoi vous sentez-vous responsable ?.... De rien, je pense.* »

« Vraiment de *rien,* comme vous dites. Car je n'ai *rien* fait. Je me sens responsable de n'avoir *rien* fait : de n'avoir pas honoré mon père, de ne l'avoir pas assez aimé, de ne l'avoir pas défendu après sa mort... »

« *Mais qu'est-ce que vous auriez dû faire... Aujourd'hui une femme, mais, quand votre père était en vie, une enfant... Vous l'avez à peine connu.* »

« [*Vexée.*] Je l'ai certainement mieux connu que le fils de ma mère, je veux dire le fils que ma mère a eu de son deuxième mari... et qui ne l'a point connu. Mais, le pauvre ! à sa manière, il s'est prodigué plus que moi pour protéger et poursuivre sa mémoire. Il a été pris par l'ambition honnête de devenir un disciple de Molière. Après la mort de La Grange il a commencé à consulter, à étudier ses manuscrits, comme si Molière était son père. Cela peut paraître ridicule, mais considérez quelle idée, quelle affection, quelle dévotion, quel amour ont nourri sa pauvre tête d'enfant. Se rendant compte que la pastorale héroïque *Mélicerte* avait été laissée inachevée, il s'est mis au travail en sautant de joie, comme poursuivi par la providence ! Il y a quelques années, il a publié *Myrtil et Mélicerte,* monstre à deux têtes fait à quatre mains, mais où le troisième acte, comme il le déclare dans la préface, est entièrement de lui parce qu'il n'a pas trouvé dans les papiers de Molière le moindre fragment, la moindre suggestion... À quoi correspond cela chez un garçon de dix-neuf ans ? Comment le définir ? De l'orgueil, de la présomption, de l'impudence ? Je vous avoue que j'aurais souhaité avoir un peu de cette présomption, un peu de cette impudence. »

« *Pardonnez-moi, mais pourquoi. n'êtes-vous pas entrée vous-même en possession de ces manuscrits, comme il était de votre droit ? Et une fois dans vos mains, vous auriez vraiment écrit votre* Myrtil et Mélicerte *? Toute autre considération mise à part, à une époque féministe comme la nôtre, où les femmes deviennent écrivains de romans avec la facilité la plus aveugle, ou poétesses ou mémorialistes, avez-vous jamais connu une femme qui se soit mise à écrire des comédies ? On dirait que votre cerveau refuse le théâtre... mais certainement pas l'art de réciter. Que d'actrices ! Et vous auriez alors pu honorer la mémoire de votre père en continuant* *son activité, sa profession ; en faisant l'actrice. Pourquoi ne l'avez-vous pas fait, pourquoi, au moins, n'avez-vous pas essayé ?* »

« Après ce que je vous ai dit, c'est étrange que vous me posiez cette question. Et pourtant... [*après une hésitation*]... ce n'est pas que je n'aie pas essayé. Dans une tragédie-ballet, *Psyché,* où ma mère, qui avait environ trente ans, était Psyché, et Baron, qui en avait seize, était Amour, on confia un petit rôle à moi aussi, qui avais alors six ans. On m'habilla en petit Amour. On me mit un petit jupon de couleur rose, et un corsage en taffetas vert, et on me traîna sur la scène. L'impression fut pour moi bouleversante. Je me trouvai soudain parmi des danseurs travestis en divinités qui dansaient sur des prés fleuris avec des couleurs que je n'avais jamais vues dans la campagne, et autour de moi des remparts de rochers et d'arbres avec au fond la mer, que je ne connaissais pas, et les costumes étaient brodés d'or et d'argent avec de grandes plumes de différentes couleurs, vertes, rouges, noires. Les acteurs chantaient lentement les vers dont je me souviens encore :

> Souffrons tous qu'Amour nous blesse ;
> Languissons puisqu'il le faut.
> Que sert un cœur sans tendresse ?
> Est-il un plus grand défaut ?

Je ne comprenais rien. Je voyais ma mère embrasser le très bel Adonis. Languir, souffrir, blesser. Tout cela devait donner de la douleur, mais pourquoi éprouvais-je, moi aussi, une sensation très douce ? Et dans ces levers et ces descentes de rideaux d'ombre et de lumière, parmi ces rayons dorés et ces ombres bleutées, ces fleurs voluptueuses de couleur pourpre et ces rochers emportés par enchantement en un instant, je commençais à ressentir un léger malaise, comme si j'avais perçu un univers de plaisirs et de jouissance, un air de fête défendue ; comme quelqu'un qui, pour la première fois, contemple la splendeur du ciel. Et le soir, dans ma chambre, en me mettant au lit, je me sentis moi aussi, comme Adonis, percée par cette langueur, et sous mes couvertures, je rêvais de Vénus et de Pluton, du Ciel et de l'Enfer, de la mer et du feu. Et je me demandais : que m'arrivera-t-il ? »

« *Je comprends l'effet que pouvait provoquer sur l'imagination d'une petite fille comme vous un de ces spectacles. Je les ai vus aussi, à moi aussi ils apparaissaient fascinants et effroyables, quand, au-dessous des délices de la nature, s'entrouvraient les abîmes en flammes et les flots agités des royaumes infernaux.* »

« J'avais peur et continuai à avoir peur, comme si, inévitablement, le plaisir conduisait au châtiment, à sa condamnation. Mais, évidemment, cela je l'éprouvai plus tard. »

« *Et pourquoi avez-vous renoncé au théâtre ? N'y avez-vous pas renoncé trop tôt ? Que pensaient votre mère et votre père ?* »

« Moi, j'étais trop petite et mon père était trop vieux. »

« *Vieux ? Il n'avait pas encore cinquante ans...* »

« Je veux dire vieux dans l'âme et dans le corps, découragé et irrité envers lui-même et son propre métier, vieux pour ma mère, pour les jeunes acteurs qui l'entouraient, adorant le théâtre et protestant que c'était sa condamnation... Il a certainement pensé à un avenir pour son unique fille, mais il a dû être terrifié à l'idée que j'aurais pu suivre l'exemple de ma mère... Pourtant, avant de mourir, il a fait une tentative... sa dernière tentative... »

« *Quelle tentative ?* »

Vous ne vous êtes jamais demandé pour quelle raison, dans sa dernière comédie, la dernière justement, mon père avait mis en scène une petite fille. Il en avait représenté des familles !.... Mais les enfants, dans ces familles, étaient tous en âge de se marier... Même dans *Le Malade imaginaire* il avait songé à une fille à marier, la bonne Angélique, fille de la première femme d'Argan. Mais il ne s'en tint pas à cela. Il y ajouta une sœur cadette, une fillette entre sept et huit ans, à laquelle il réserva une scène, une seule scène, celle qui se conclut par une réplique d'une amertume suprême : “Il n'y a plus d'enfants !”.

J'étais justement à cette époque une fillette de sept-huit ans. Sans aucun doute, mon père, en écrivant cette scène, avait pensé à moi, il l'avait écrite pour moi, car elle n'est point nécessaire, et elle peut être sacrifiée ou sauvée sans que rien ne change dans la comédie. Pour ceux qui écrivaient, alors comme aujourd'hui, les enfants n'existaient presque pas. Dans les romans, dans les comédies, dans les mémoires et les tragédies, ils n'apparaissent, je crois, jamais. Je ne sais ce que Boileau en pense. Dans son *Andromaque,* Racine a effacé

Astianax en tant que personnage. Et si Éliacin apparaît dans *Athalie,* c'est qu'il s'agit d'un cauchemar et non d'un enfant, un cauchemar pour la protagoniste qui est au centre de l'action et on ne peut donc s'en passer. Mon père a affronté le risque de mettre en scène une enfant, pour le simple goût de la voir jouer, et il l'a fait pour moi...

Mais vous savez aussi que je ne fus pas la première Louison du *Malade imaginaire*. Ce fut Louise Beauval, qui avait mon âge, un des enfants nombreux qui font la joie, hélas ! de la famille Beauval, toute composée d'acteurs... Avant de se rabattre sur Louise, un certain nombre de tentatives pour me faire jouer, furent organisées. J'opposai de la résistance. On m'obligea. Mais je ne parvins pas à émettre un seul son, à prononcer un seul mot. Mon père se rendit compte que je n'y arrivais pas et renonça, et ce fut assurément une déception pour lui. Ainsi ma carrière d'actrice, avec un petit rôle écrit uniquement à mon intention, fut brisée dès sa naissance. Et d'ailleurs, en réfléchissant à la réplique qui conclut la scène : “Il n'y a plus d'enfants !”, et voulant y voir plus clair dans mes rapports difficiles avec mes parents, je me suis demandée à plusieurs reprises, et je me le demande aujourd'hui encore, si moi, je n'étais justement pas une de ces enfants qui ne sont plus enfants auxquelles Argan faisait référence. Je me demandais si mon père n'avais pas découvert en moi quelque chose qui n'allait pas : rien qui soit l'ingénuité, la limpide sincérité enfantine, mais quelque chose de sérieux, de sage et de presque rusé, comme si j'avais déjà été contaminée par le monde des adultes. Et devant certaines de mes réticences, devant certains de mes silences, “Mais tu n'es pas une enfant, toi !...”, me dit-il une fois d'une voix irritée. »

« *Avait-il raison ?* »

« Il avait raison, parce que dès cette époque j'allais vers la vie non pas comme si je voulais la vivre, mais comme si je voulais la regarder... Une spectatrice qui contemple les choses de loin, qui les juge, et croit voir aussi ce que d'autres ne voient pas, des allusions, des références... J'ai vécu indirectement la grande comédie tragique de la vie de mon père, mélangeant les images de son œuvre avec celles de sa vie réelle et apercevant dans l'une le reflet de l'autre et vice-versa. Je me demandais, lisant et relisant ses comédies, des choses que seule une fille est en mesure de se demander...

Pourquoi, me demandais-je, avait-il voulu qu'Argan et Orgon fussent mariés deux fois, chacun l'époux d'une seconde femme, belle, qui vit avec les enfants de la première.... Pourquoi Alceste, le misanthrope, ne tombe-t-il pas amoureux d'une jeune fille, comme il serait normal, mais d'une veuve, d'une femme qui a eu dans sa vie un autre homme ?.... Pourquoi, dans ces rapports amoureux entre un homme et une femme, y a-t-il, dans chaque cas, un personnage que l'on ne voit pas, une ombre qui brouille le ciel de leur bonheur, un deuil, peut-être une secrète douleur, qui obligent les pères à devenir des maniaques et les fils des malheureux ? Pourquoi, lorsque Argan crie à Angélique : "Ou Diafoirus ou le couvent ?", cette voix en colère parvenait-elle jusqu'à moi ?.... »

«*Je n'ai pas l'impression que vous ayez été simplement une spectatrice, même si vous êtes restée, comment dire ? bloquée dans votre silence...* »

« Disons alors une spectatrice qui a souffert plus que les actrices qui s'agitaient sur la scène, en même temps qu'un personnage qui ne parvenait pas à vivre sa propre vie. L'impression qui revenait, la sensation qui me poursuivait, au fur et à mesure que les années passaient, est que j'étais en train de devenir dans la réalité, dans la vraie vie, et non sur la scène, le personnage – je le répète – d'une comédie de Molière, mais un personnage non réalisé.

Ma mère, vous le savez, se remaria. Elle se remaria quatre ans après la mort de son mari, et encore une fois, pour respecter la loi des Béjart, pour démontrer que le théâtre était un destin, une norme, un cercle de flammes d'où il était impossible de sortir, elle se remaria avec un acteur. Au sujet de ce mariage, de faciles couplets parvenaient jusqu'à mes oreilles. Mais en rapprochant, telle une idée fixe, les créatures humaines entrées dans la vie de Molière avec ses personnages, je sentais que ma mère aussi, dans les rapports avec sa fille, avait la même démarche que le personnage typique de la "mère" tel que mon père l'avait dessiné et représenté.

Je pensais à la femme de Sganarelle, à madame de Sotenville, à madame Jourdain, à la comtesse d'Escarbagnas, à Philaminte. Pour quelle raison, me demandais-je, l'image de la "bonne mère" n'existe-t-elle pas dans le théâtre de Molière ? Pourquoi y a-t-il une telle abondance de veufs et d'époux remariés ? La répétition de ces situations cachait-elle un sentiment, un sentiment profond ? Peut-être y avait-il un souvenir, enfantin et douloureux ? Le souvenir de sa mère perdue lorsque mon père était encore un enfant, et le remplacement de cette image par celle de la marâtre, la jeune femme de vingt-cinq ans avec laquelle mon grand-père se remaria, à peine un an plus tard, puis toute une suite de deuils : la mort de cette deuxième femme, quand Molière avait quatorze ans, celle de ses deux frères, Nicolas et Jean, et de sa sœur Madeleine, mariée avec André Boudet. Seule sa sœur, la nonne, lui a survécu, et puis moi, sa fille. Mon petit frère est mort quelques jours après sa naissance.

Alors, certes, je peux comprendre son goût de la dissolution, de la débâcle, de la ruine, je comprends aussi pourquoi il a représenté Don Juan. Mais n'y a-t-il rien d'autre au monde que des familles en débâcle, désagrégées, ruinées, pour arriver à divertir la race ignoble des spectateurs de comédie ? Pourquoi un homme comme mon père, harcelé par la mauvaise fortune, dont l'existence fut semée de deuils dès son enfance, choisit-il parmi les nombreux métiers celui de faire rire, de faire rire ses semblables ? Et je reconnus alors dans sa vocation une des formes nombreuses du destin : que son rire naissait de la douleur et cachait dans sa profondeur quelque chose de forcené. Je pensai aussi que les fins joyeuses des comédies n'appartenaient pas à Molière, mais au "genre comique" auquel il obéissait.

Il était d'ailleurs fatal que le destin de la famille s'achevât et se conclût en moi, seule, sans mari, sans enfants. Ainsi, seulement, je pouvais arrêter cette chaîne de deuils, de malheurs, d'enfants obligés de vivre avec d'autres pères et d'autres mères. J'ai supporté tout cela. Mais j'ai voulu aussi conclure tout cela. Je ne me suis pas mariée. Je n'ai pas eu et je n'ai pas voulu d'enfants. »

« *Que provoqua dans votre âme d'enfant la vie nouvelle qui s'ouvrît pour vous avec votre mère et votre beau-père ?* »

« C'est une question naïve à laquelle je crois avoir déjà répondu... Et j'imagine que vous avez désormais compris...

La mort de mon père ne fut pas une de ces douleurs qui vous frappent à l'instant même où on les éprouve, et se consument ensuite lentement dans le ryhtme de la vie de tous les jours, dans la lenteur des jours qui suivent, dont la normalité apaise insensiblement notre esprit. La douleur provoquée par sa mort se répétait dans les conséquences qu'elle entraînait. Et ces conséquences étaient rendues presque plus douloureuses par la régularité de la vie qui reprenait, alors que, pour cette enfant que j'étais, tout avait changé.

Mon père était mort le 17 février 1673 et quinze jours après les représentations du *Malade imaginaire* recommençaient, avec ma mère faisant un retour réussi sur scène et l'acteur La Thorillière dans le rôle du protagoniste. La Thorillière portait les costumes qui avaient été ceux de mon père, la chemisette rouge, le foulard au cou, le couvrechef de nuit avec la coiffe brodée[1]. Nous n'habitions dans la nouvelle maison de la rue Richelieu que depuis quelques mois. Les pièces étaient plus grandes, plus luxueuses. Les meubles et les objets que vous voyez ici maintenant se trouvaient dans cette maison, comme par exemple ce tableau, là-bas, qui représente *L'École des maris,* où Molière apparaît encore jeune (il n'avait pas quarante ans) en compagnie de ma mère qui en avait dix-neuf à peine. Quand nous nous sommes installés, les ouvriers travaillaient encore à l'étage du dessous. Mais je me sentais comme perdue. Je préférais la vieille maison de Saint-Thomas du Louvre, où j'avais laissé mon enfance, et je trouvais refuge dans les bras de Renée, la femme de chambre que je chérissais et qui continuait à vivre avec nous.

1. Les costumes que Molière portait dans *Le Malade* n'apparaissent pas dans l'inventaire des objets existants dans l'appartement. Servirent-ils au nouvel acteur à la reprise de la comédie ? Ou furent-ils détruits car ils étaient tachés de sang ?

Je dormais à l'étage supérieur. Et j'étais à l'étage supérieur le soir aussi où mon père mourut... Je dormais et personne ne me réveilla... Et quand, après que le corps fut préparé, on m'amena le voir, je le reconnus à peine, ce corps qui gisait immobile sur son lit, entre deux bonnes sœurs en prière... "Ce n'est pas lui, ce n'est pas lui...", criai-je en courant vers Renée... Et je n'entendis rien – parce qu'on me gardait à l'écart – des trafics, des discussions, des conversations, des gens qui montaient et descendaient (comme on me raconta plus tard), en murmurant : "Quel scandale ! Quel scandale ! Il faut que quelqu'un en informe le Roi." Je ne me souviens de rien et je ne sais rien de ce qui suivit sa mort, l'enterrement de son corps, de ce corps considéré comme un vil "excrément de la terre", un pauvre animal infect, comme dans une fable de La Fontaine.

Quelques jours plus tard seulement, je réalisai que mon père était vraiment mort, qu'il s'était à jamais éloigné de moi et de la maison. Vingt jours à peine étaient passés. Son corps gisait dans son tombeau au cimetière Saint-Joseph, lorsque trois individus vêtus de noir, lugubres et ridicules, qui semblaient sortir d'une comédie et qui, me dirent-ils, étaient deux notaires et un huissier chargé de l'estimation des objets, s'installèrent dans nos appartements, en train de fouiller, de tout remuer, de cataloguer et d'inventorier tout ce qu'ils voyaient ainsi que ce qu'ils ne voyaient pas. Notre maison, vous ai-je dit, était pleine d'objets. Chaque objet, que ce fût une marmite de cuisine, le lit où mon père était mort, avec ses "rideaux de serge d'Aumale", un alambic, un clavecin dont ma mère s'accompagnait quand elle chantait, ou mon petit costume qui avait servi à la représentation de *Psyché*, tout était crié et décrit d'une voix perçante par l'huissier, qui en fixait le prix aussitôt après. On aurait dit les préparatifs pour une grande représentation. Mais quand, dans la chambre où gisait la longue série des costumes, enfermés dans des armoires, je reconnus, immobiles comme des oiseaux de nuit endormis, ceux de ses personnages, vides, avachis, sans aucune forme, sans aucune force qui les soutînt de l'intérieur, alors seulement je sentis, je perçus physiquement que son corps, violent et bruyant, qui leur avait insufflé la vie, n'existait plus, qu'il ne se serait jamais plus glissé à l'intérieur de cet horrible silence.

L'habillage d'un acteur est toujours une cérémonie, une cérémonie joyeuse et funèbre. C'est un rite presque religieux comme celui d'un chevalier qui, armé de force et de vigueur, s'habille pour un tournoi où sa vie est en jeu, et il a besoin, en cette heure de danger extrême, d'un humble officiant qui l'assiste et qui l'aide. Après avoir accompli le rite de cet habillage, mon père, sans le savoir, était allé à la mort. Et dans mon esprit de jeune fille, j'imaginais que la mort, qui l'avait trahi en le conduisant sur la scène, était encore cachée dans les plis, dans les ombres de ces costumes vides, aux couleurs criardes de jaune et de vert, les couleurs préférées de mon père, et dans les chapeaux aux plumes voyantes, qui arrivaient jusqu'à lui recouvrir les yeux et les oreilles, l'empêchaient de voir, et lui procuraient dans le noir une sensation de défaillance. »

[*Une longue pause*.]

« [Timidement.] *Et quelle fut, à partir de ce moment-là, votre nouvelle vie, dans les longues années qu'il vous restait encore à vivre ?* »

« Imaginez une suite au *Malade imaginaire,* une comédie à laquelle il manque étrangement le protagoniste et où quelques rôles auraient été changés. Argan est mort. Angélique s'est mariée avec son Cléante. Louison vit avec Béline, et a comme tuteur le brave oncle Béralde, si sage, si humain. Moi, dans la suite de la trame, je prends la place de Louison, un de ces personnages mineurs qui ne se sont pas réalisés. Comme tutrice j'ai ma mère, et comme nouveau tuteur mon oncle André Boudet, un brave homme lui aussi, veuf de la sœur de mon père, jusqu'au jour où, à sa mort, il fut remplacé par mon beau-père Guérin. Béline, la marâtre de Louison se remarierait vite, avec monsieur Bonnefoy, le notaire, ou avec quelque autre monsieur fortuné. Ma mère aussi se remaria vite, et épousa en secondes noces, un acteur, ainsi que je vous l'ai dit, qui vit toujours en moi, comme il était prévisible, "la fille de Molière".

Je me rendis compte alors que les années passaient et que je grandissais en devenant une adolescente, pas belle mais pas laide non plus, que j'éveillais chez ma mère qui n'était plus jeune une étrange jalousie, à tel point qu'il fallait que je cache aux autres mon âge. Et à Chapelle qui me demandait une fois mon âge, je répondis à mi-voix : "J'ai quinze ans et demi mais ne dites rien à ma mère". Je me rendis compte que le tableau, analysé et souffert de l'intérieur, que Molière avait donné de la vie de famille, continuait à se développer constamment dans notre vie. Mais il n'aurait peut-être jamais soupçonné qu'une absence de bonheur aussi inaltérable retomberait, un jour, sur son unique fille seulement. Même après sa mort, les deux grands thèmes de sa vie, le théâtre et la famille, continuaient à s'opposer, à s'affronter en une rixe fatale, et j'en faisais, moi, les frais. Les conséquences de ce conflit se déversaient sur moi.

Ma mère n'avait pas de répit. Au mois d'août de cette même année, nous quittâmes la maison de la rue Richelieu, à laquelle je commençais à m'habituer. Il fallut déloger. Mes désirs ne comptaient pas pour elle. Elle ne vivait que pour le théâtre. Si elle avait pu, elle aurait placé le théâtre dans sa maison. C'est ce qui arriva. Après la mort de Molière, le théâtre du Palais-Royal avait été cédé à un autre de ses ennemis, Lulli, pour des spectacles d'Opéra. Les acteurs de ce qui avait été sa compagnie s'installèrent dans le théâtre de la rue Guénégaud, au Jeu de Paume dit de la Bouteille. Et ils inaugurèrent cette salle un dimanche étouffant de juillet avec le *Tartuffe*. Ma mère, qui dirigeait la compagnie, sut qu'il était facile d'avoir en location l'Hôtel d'Arras, rue de Seine, adjacent au théâtre où elle jouait. Elle ne perdit pas de temps. Dès qu'elle eut l'autorisation du propriétaire d'ouvrir sur l'arrière de l'édifice une porte communiquant avec le théâtre, et après s'être mise d'accord avec mes oncles Aubry (ma tante Geneviève était encore vivante à cette époque : tombée malade, elle mourut deux ans plus tard d'une longue maladie), elle prit l'Hôtel en location pour une durée de six ans. Les jours où il y avait spectacle, elle se maquillait, s'habillait soigneusement dans sa chambre comme s'il s'était agi de sa loge, et passait sur la scène. Je ne sais si le théâtre fut pour elle une vocation authentique, mais ce fut certes le terrain et l'exercice de sa vanité, une grande vitrine pour paraître et conquérir. Elle rencontra l'acteur Guérin, le fit entrer dans la compagnie, elle l'épousa, ornant sa nouvelle famille d'un nouveau blason, riche, tout bleu, avec une gerbe d'or et deux petites tours d'argent. Et dans la fureur de renouvellement qui la possédait périodiquement, tout en montrant son obéissance à la volonté très autoritaire de son nouvel époux, un autre changement de maison fut décidé. Rue des Fossés-Saint-Germain.

J'avais alors douze ans. J'allais à la découverte de la jeunesse, mais prenait forme en moi, avec insistance, un sentiment qui me poursuivait : l'inutilité de ma vie. Resongeant à la "comédie" de mon père comme à une idée toujours présente, car c'était l'unique chose vivante qui me restait de lui, je me sentais un personnage superflu. Louison existait encore en moi, mais elle était devenue un de ces êtres sans visage qui sont inexorablement chassés de la scène parce que personne ne sait qu'en faire. Je ne crois pas que ma seule responsabilité ait acheminé mon existence vers cette voie déserte, mais plutôt que ma mère aussi ait tenté presque insensiblement de m'effacer en tant que personne vivante.

Elle avait eu un enfant de son nouveau mari. Elle continuait à avoir du succès. Elle mettait tous ses soins à effacer les traces déplaisantes de son passé, et elle parlait aussi de Molière comme si c'eût été un glorieux grand homme de théâtre glorieux, et non son mari. Quant à moi, je représentais au contraire le passé, ce court passé que l'on ne pouvait pas détruire. Et elle avait de bonnes chances de le détruire, car ma vie n'était point du tout insérée dans le rythme frénétique de la sienne. Je n'avais pas su faire ce que faisaient depuis des générations les autres composants du clan des Béjart : jouer, et elle parvenait même à me le reprocher. Et que je ne fis pas son métier, lui assurait aussi une certaine tranquillité. Jouer ! Mais, de plus en plus, je n'étais rien que moi-même, et au fond de ce "moi-même" il y avait le vide, ou un voile épais de mélancolies, de timidités, d'inhibitions, qui servait à protéger une fragile petite flamme que je ne devais pas, je ne sais pourquoi, laisser s'éteindre, moi, petite et faible Vestale.

On a dit que je me suis laissée enlever par Claude de Rachel de Montalant. Mais Rachel aurait pu être mon père. Il a vingt ans environ de plus que moi, et il est aussi sage que moi. Et toutes les petites occasions d'amour, de mariage qui se présentaient à moi, dans la mesure où l'on me considérait riche, je les écartais. Ce faible intérêt dans la vie (mais qu'était-ce la vie avec une mère que je voyais très éloignée de moi et un beau-père trop proche et insupportable ?) se transforma en une peur réelle d'exister. Je vais mieux m'expliquer. D'un monde où il n'y avait qu'une seule loi en vigueur : la loi du théâtre, et où j'étais seule, j'entrai comme "pensionnaire" au couvent des Dames Religieuses de la Conception, pour me sentir moins seule dans la solitude. Je refusais ainsi, en même temps, le théâtre, que je n'aimais pas, et la famille. »

« *Est-ce que votre mère essaya de vous contraindre ou du moins de vous convaincre pour vous décider à abandonner votre maison, à vous séparer d'elle ?* »

« Pas plus que je ne vous l'ai dit. Joua-t-elle d'astuce pour ne pas faire dépendre d'elle une décision qui ne revenait qu'à moi ? Ou bien souhaitait-elle secrètement que ma réclusion dans un couvent éveillât une vocation qu'elle croyait que je couvais en moi comme une maladie insoupçonnée, et qui était ce qui arrivait alors à bien des jeunes filles ? Elle aurait ainsi eu d'un côté un mari acteur et de l'autre une fille au couvent. En accordant deux entités inconciliables telles que la religion et le théâtre, elle les eût employées à son salut.

Le mot *couvent* éveillait une agréable sensation. Une brise délicate semblait me caresser le visage. Je retrouvai cette sensation de fraîcheur, de propreté et ce silence adorable que j'avais tout à fait perdue chez moi. Le rythme de la journée, bien réglé dans toutes les activités, me plaisait parce qu'il m'occupait, et c'était un rythme silencieux et léger. Je pensais de moins en moins à ma mère. Même le visage de mon père, en colère ou affectueux, se diluait dans le souvenir. Je serais restée toute la vie au couvent, dans cette douce torpeur, sans mari et sans Dieu, si je n'avais pas été éveillée presqu'en sursaut par un épisode qui me troubla, et qu'il me coûte de raconter... »

[*Une longue pause*]

« Un matin, un matin comme tant d'autres, dans la chapelle où j'étais entrée pour assister à la messe du matin, je remarquai, avant que la messe ne commence, quelques filles, comme moi en pension, en train de chuchoter entre elles et qui s'interrompirent dès qu'elles aperçurent ma présence. De ce chuchotement impénétrable, le nom de ma mère avait émergé. Je pensai et repensai toute la journée à ce silence qui m'excluait, qui me repoussait. Le jour suivant, je décidai d'en parler avec une des filles que je connaissais mieux que les autres. Je réussis à savoir que la raison de ces chuchotements était un livret contre ma mère et contre mon père publié par un faux éditeur de Francfort, me dit-elle, et qui circulait depuis quelque temps sous forme de manuscrit dans de nombreux milieux parisiens.

Vous savez certainement de quoi il s'agit. Notre époque est riche en pareils cadeaux. Les libelles diffamateurs ont toujours eu, mais très singulièrement à notre époque, plus de fortune que les chefs-d'œuvre. Vous-même vous avez lu avec plus d'ardeur le libelle dit de la *Fameuse comédienne,* c'est-à-dire ma mère, qu'une grande comédie comme *Le Misanthrope*. Mais je suis en cela semblable à Alceste. Dans notre société je méprise les convenances. »

« Pourquoi me dites-vous cela ? J'ai vu ce petit livre presque par hasard et je ne suis même pas sûr de l'avoir lu en entier. »

« Admettez au moins qu'il a éveillé votre curiosité, cette terrible, cette brûlante curiosité que le vice et la corruption allument. Fouillez bien dans votre âme. Si vous êtes venu chez moi, si vous avez insisté pour que je vous voie, que je vous parle, c'est parce que vous vouliez vous rendre compte de la couleur que prennent les fleurs nées d'une terre malsaine. Cela vous attirait morbidement. Comme vous le voyez, rien d'étrange, rien d'insolite, rien d'extraordinaire. Tout est normal. »

« Mais que dites-vous là ? Voulez-vous sans doute m'obliger à partir, à prendre congé ? »

« Non, restez... Au point où nous en sommes, après tout ce que je vous ai dit... je suis toujours si seule... je parle si peu. Restez assis, continuez de m'écouter...

Diffamateur, diffamateur. Passe encore. Qui a décidé d'écrire un tel livre est un être ignoble, vil, mû par la haine, la rancœur, la jalousie, la vengeance peut-être, tout à fait digne de vivre à notre époque, et qui plus est d'écrire contre un mort et contre une femme qui a été son épouse et dont il a eu des enfants... Et je me suis demandé moi aussi, comme tant d'autres : "Qui était-ce ?".

Mais le plus horrible c'est que, aujourd'hui encore, je n'ai, pour ce qui me concerne, aucun élément de défense en faveur de ma mère et de mon père, aucun élément sûr qui prouve que cet écrivailleur a menti. Je n'ai rien dans mes mains qui me permette de crier : "La vérité, la voici !" J'étais une enfant quand se déroulaient les faits qu'il raconte. Je n'ignorais certes pas que les rapports entre mes parents étaient difficiles et que la conduite de ma mère veuve fut loin d'être irréprochable, mais je ne pouvais faire la distinction entre sa vie privée et sa vie d'actrice. Ces noms que je lisais dans le libelle résonnaient tout doucement comme de vagues souvenirs, associés plutôt à la mémoire d'un son (l'écho d'un nom prononcé dans la pièce à côté ou dans un dialogue animé) qu'à une image réelle. L'abbé de Richelieu, le comte de Guiche, le comte de Lauzun, du Boulay... Qui étaient-ce ? Ce n'était pour moi que de purs sons. L'histoire du président Lescot était pour moi plus claire : il y avait eu une suite judiciaire et une condamnation. Même l'autre histoire, avec le remplacement de la personne de ma mère par une autre femme, sans que l'amoureux s'en aperçût, et la scène du collier dans laquelle j'apparaissais moi aussi comme un personnage de fond, "un collier pour la fille qui était en religion", était aussi incroyable qu'un roman. Mais les accusations contre mon père contenaient les éléments sombres et troubles d'une tragédie.

Elles frappaient son mariage incestueux et étaient rendues publiques comme si je n'existais pas. Personne n'avait pensé – ou y avait-on pensé sans point se soucier des conséquences – que Molière avait laissé une fille, que sur elle seule ces accusations allaient retomber et, dirais-je, se perpétuer, et que cette fille ne savait rien, était innocente et n'aurait pu ni défendre son père, ni accuser, ni se venger. Se venger de qui ? Et même si cette ombre était sortie de sa cachette et avait dit : "Oui, c'est vrai, j'ai écrit ces pages", encore une fois je n'aurais pu prouver la fausseté de ses accusations, je n'aurais pu faire disparaître la tache par laquelle il avait souillé ma vie. Il avait peut-être écrit par haine contre la mémoire de mon père, par jalousie contre ma mère, mais certes pas par haine contre moi, et pourquoi alors n'a-t-il pas pensé que j'étais, moi, la véritable victime de ses calomnies, que j'aurais porté le soupçon en moi, dans mon propre sang, pendant toute mon existence ? Personne – ni les grands amis d'antan ni le Roi lui-même – ne m'a fait le cadeau d'un sentiment de pitié, de charité. Et Bossuet, dont la voix d'aigle, porteuse de malheurs et de gloire, voletait dans les arcades des églises, devant d'immenses catafalques patriciens, pourquoi, n'a-t-il pas pensé aussi à moi, fille innocente et encore vivante d'un pécheur plein de tous les vices de la terre, quand il a vu dans la mort de mon père le juste châtiment du ciel ?

Vous comprenez à présent la raison pour laquelle je n'ai pas réussi, dans la vie, à devenir même un personnage tragique. Le héros tragique doit venger, tuer, supprimer, ou expier et se condamner. Je ne pouvais me condamner, je ne pouvais me tuer. Je ne pouvais pas percer mes yeux avec une boucle en or comme Œdipe. Je n'étais ni Œdipe ni Électre. Douce, ferme et fidèle, dans ma conscience familiale, je ne pouvais venger ni mon père ni ma famille. De qui ?

Et vous comprenez seulement à présent la raison pour laquelle je suis rentrée dans l'ombre, la raison pour laquelle ma vie est devenue si solitaire, si ordonnée, si obscure, si mesquine peut-être. La raison pour laquelle je ne me suis pas mariée, je n'ai pas eu d'amours, ni d'enfants. J'ai été submergée par les ombres des autres. Et je pénètre de plus en plus profondément dans un tableau que le temps a rendu si dense qu'il en efface toute image. Je n'ai pas vécu, je n'ai pas aimé. Sur la scène de l'histoire – si l'on peut parler d'histoire à propos de cette tranche de vie désolée qui m'appartient – je suis un personnage non réalisé. Si je m'étais réalisée, alors seulement j'aurais peut-être eu droit à quelque larme, à un sentiment de pitié. L'homme a besoin de figures magnanimes pour pleurer. C'est un vil comédien qui ne s'émeut que pour la douleur de Phèdre. Mon époque pleure sur la scène et est féroce dans la vie. Et je m'éloigne ainsi de plus en plus des autres, je rejoins mon désert, comme Alceste, et je porte avec moi un secret que nul ne peut dévoiler. »

Par ces mots, qui n'admettaient pas de réplique, Mademoiselle Esprit-Madeleine Poquelin congédia son interlocuteur. Il remercia avec des expressions empreintes d'une profonde courtoisie, qui semblèrent provoquer chez la femme un léger mouvement d'irritation, puis il partit.

Mais, en reprenant son chemin, il resongea plusieurs fois à ce visage irrité, à la sécheresse des manières avec lesquelles elle l'avait congédié. Peut-être s'était-elle déjà repentie de tout ce qu'elle avait dit, de ce qu'elle avait avoué, ou bien était-elle irritée des manières excessivement cérémonieuses par lesquelles son interlocuteur avait accueilli les dernières phrases de ce monologue ? La vérité est que, presque submergé par ce flot de mots prononcés d'une voix âpre et pourtant émue, il était resté interdit, et n'avait pas su trouver une seule phrase de compréhension, de solidarité humaine. Sans s'en apercevoir – et il s'en rendait compte seulement quand il n'y avait plus rien à faire – il s'était placé tout seul dans cette région inhumaine si justement détestée par la pauvre femme : celle des êtres sans pitié, sans charité.

Mais ce « secret » ! À quoi avait-elle fait allusion ? Était-ce un secret qui intéressait son passé, comme il l'avait cru en l'écoutant, ou l'avenir ? Il suivit de loin la vie de Mademoiselle. Quelques mois plus tard – on était en plein été – la nouvelle lui parvint que Madeleine s'était mariée. Il ne fut pas difficile de savoir avec qui. L'époux était ce Claude de Rachel sieur de Montalant soupçonné d'avoir été, quelques années auparavant, l'entreprenant qui avait enlevé la jeune pensionnaire du couvent.

Le mariage de Madeleine était donc un mariage triste, gris, automnal, fruit de la raison et peut-être aussi du désespoir, qui. sait combien de fois décidé et renvoyé. Elle avait quarante ans et lui approchait de la soixantaine. Et le passé qu'ils croyaient laisser derrière eux était, encore une fois, incroyablement semé de deuils. Telle une héroïne du théâtre de Molière, Madeleine s'unissait elle aussi à un veuf. Montalant avait épousé une trentaine d'années auparavant une femme dont il avait eu quatre enfants, tous nés entre 1679 et 1684, et dont on n'a plus eu de nouvelles. Ils étaient peut-être trop jeunes et désarmés pour faire face aux maladies ou aux nombreux docteurs Diafoirus de l'époque, et durent donc céder aux médecins, qui les ont décimés sans pitié en même temps que leur mère.

Heureusement, Rachel n'était ni médecin ni acteur. C'était un joueur d'orgues, organiste de la paroisse de Saint-André-des-Arts. Le son de l'orgue a-t-il donné la sérénité à l'esprit de Madeleine, a-t-il pacifié son oreille accoutumée dans sa jeunesse à d'autres grincements ? Elle aimait le silence. Et rien n'est plus près du silence que la musique. Et puis, "il n'y a rien qui soit si utile dans un État que la musique", dit le maître de musique dans Le Bourgeois gentilhomme. *Utile aussi à la paix du mariage.*

Réalisa-t-elle enfin alors son personnage ? Elle avait aussi choisi tardivement le rôle de l'épouse. Les prémisses, les conséquences et même l'état juridico-économique qui régla leur union peuvent le prouver. Madame n'eut pas d'enfants, et il eût été absurde d'en espérer. Ils vécurent seuls et unis, respectant la solitude, même dans l'administration de leurs biens. Madeleine était riche. Rachel était pauvre. Elle avait trop connu son monde familial, sa mère, son beau-père, son beau-frère pour nourrir une confiance aveugle en l'honnêteté de son époux légitime. Elle avait sauvé juste à temps son patrimoine de la dispersion vers laquelle l'avait acheminé la légèreté, pour ne rien dire d'autre, de ses tuteurs. C'est ainsi que, contre les habitudes, contre les us en vigueur dans la ville de Paris, ils décidèrent, d'un commun accord, que leurs biens resteraient indivis. La future épouse paierait la location de la maison, pourvoirait aux frais du ménage, et l'époux lui verserait en échange une pension annuelle, dont le montant devrait être convenu entre les deux parties. Pour une plus grande clarté, afin d'éviter la confusion et les contestations, les notaires établirent des actes séparés pour tout ce qui appartenait à l'un et à l'autre. Rachel ne possédait rien. Mais la maison de Madeleine, après la mort de sa mère en 1700, s'était encore plus remplie d'objets et de meubles, de la cuisine à la salle à manger, de la chambre à coucher à la salle de séjour : miroirs, trumeaux, armoires, tableaux, portraits de famille et miniatures, la chère pendule, manufacture de l'horloger Claude Raillart, qui venait de l'appartement de Molière, et une soixantaine de livres de sujets divers.

Mais où étaient passés les manuscrits, les manuscrits de Molière ? Certes pas dans la maison de sa fille. Ces manuscrits n'étaient pas des objets beaux et coûteux : c'était simplement des morceaux de papiers jaunis et rongés par la poussière. En 1705 déjà, année du mariage de Madeleine, on ne savait plus rien d'eux. Se trouvaient-ils aux mains de Guérin fils ou aux mains de la veuve La Grange ? Celle-ci conserva sans doute plus jalousement le célèbre registre de son mari que les manuscrits de Molière. « Je savais, écrit Grimarest avec regret, qu'il avait laissé quelques fragments de pièces qu'il devait achever. Je savais aussi qu'il en avait quelques-unes entières, qui n'ont jamais paru. »

La fille pensait à autre chose, saisie peut-être par la crainte de son incertaine survie, malade de silence et de solitude. En 1713 elle décida de quitter Paris de plus en plus bruyant, et acheta deux maisons avec un beau jardin, l'une près de l'autre, dans la rue de Calais à Argenteuil, et alla y habiter avec son mari, y menant une vie toujours plus retirée. Un voyageur de l'époque, quelque temps plus tard, les rencontra.

C'était la fête des vendanges, le premier dimanche d'octobre. Venant des vignes des collines de Soissons, les deux époux d'âge mûr descendaient vers Argenteuil. Lui, c'était un vieux monsieur la tête bien droite, elle, encore jeune, apparaissait comme plus imposante que son époux. D'allure fière, elle saluait avec douceur et par un signe de la main. Elle portait des gants gris avec de larges franges. On n'apercevait sur sa personne aucun objet qui ne fût pas de valeur. Des porteurs l'attendaient avec une "chaise à roue". Son mari lui dit quelques mots et continua seul sa promenade vers Argenteuil.

Quelques heures plus tard, ce même voyageur les revit en procession. Montalant, suivi d'une sorte de laquais, tenait un cierge. Il portait à son doigt un diamant de cinquante louis. Près de lui, se tenait sa femme avec son allure de grande dame : elle semblait être absorbée par la sainteté de l'office divin auquel elle assistait. Le voyageur la regardait avec admiration. Il était heureux de penser qu'une telle dame, fille d'acteurs, ne s'était pas perdue parmi les acteurs. L'essentiel – remarquait-il avec satisfaction – était de bien finir sa propre vie.

[1975]

Appendice

Boulgakov et Molière

1. Il est rare qu'un auteur agisse sur un autre de façon totale, par les événements de sa vie et par ses œuvres. Dans le trajet tout à fait significatif de son activité, Boulgakov dédia à Molière une étude biographique, une comédie et une traduction. La biographie, publiée actuellement en traduction italienne *(Vita del signor di Molière*[1], avec une introduction de Venjamin Kaviérine), avait été adaptée en comédie et représentée en 1936 au Théâtre d'Art de Moscou. La signification de ce livre ainsi que la raison pour laquelle il a été écrit sont claires.

Par exemple, y a-t-il une raison dans le choix d'un titre qui semble si innocent ? Pourquoi ce « monsieur » donné à Molière ? De toute évidence, il est repris de la biographie : *La vie de Monsieur de Molière* (1705) de Grimarest. Même si Boulgakov n'en parle pas, il n'ignora peut-être pas l'étonnement que ce titre suscita chez un censeur anonyme, dans une *Lettre critique*. Molière, selon le censeur, n'était « Monsieur » que pour les postulants et pour le petit peuple : c'était un acteur, à savoir un homme au métier ignoble auquel cette qualification ne convenait pas. Si le coup de vent théâtral qui s'abattit sur Boulgakov vint de la France de Louis XIV, c'est parce que cette société exprima en même temps l'exaltation et le mépris de l'acteur, parce qu'elle honora l'homme de théâtre (Molière ou Racine) et l'obligea, quand elle le voulut, à se plier, à s'agenouiller, à se taire.

1. *Le Roman de Monsieur de Molière,* Éd. Champ Libre, 1972 [N. d.T.]

Ainsi, dans la difficulté extrême de bâtir le « temps narratif » d'un personnage très mobile qui avance dans une perspective changeante et parfois insaisissable, cette biographie est polémique en même temps que d'une objectivité tranquille et presque sèche. De forts éclairages frappent d'une lumière transversale le protagoniste; puis suivent des pages de grisaille, sur le ton d'un rapport biographique rapide. Tantôt la narration de Boulgakov est canalisée par les événements, salut et damnation de tout bon biographe, tantôt il les arrête comme s'il était entraîné ailleurs: par l'idée d'un personnage à créer, à inventer.

C'est peut-être à cause de cette mobilité que je ne m'arrêterais pas sur la robustesse impeccable de l'information érudite, sur la minutie de l'information, comme le fait Kaviérine. Quelles furent les sources de Boulgakov? Fut-il influencé par la belle biographie que, deux ans plus tôt, avait éditée Ramon Fernandez? Je ne sais pas. Il est certain que des pages entières et quelques épisodes ont été sans aucun doute repris d'une œuvre peu connue, que Fernandez lui-même ne citait pas, publiée au début du XIXe siècle. C'est *L'Histoire de la vie et des ouvrages de Molière* de Taschereau. Sur ces pages, Boulgakov a versé un peu de son réalisme fantastique et romanesque.

Un seul exemple: l'épisode du *Clavecin magique*. Quand la merveilleuse machine qui semblait devoir jouer toute seule fut ouverte devant le Roi et la Reine, on découvrit à l'intérieur un enfant. Pour Grimarest, cet enfant était beau comme un ange; pour Taschereau un simple petit garçon qui commençait à se sentir mal par manque d'oxygène. Boulgakov voit cet enfant « sale, engourdi, épuisé », et reconnaît en lui Michel Baron, qui deviendra le grand acteur, élève et protégé de Molière.

2. On sent dans la structure du livre la mise en place théâtrale, comme s'il s'agissait de la préparation d'un autre livre à faire, une comédie justement. Le récit est découpé en scènes qui n'ont qu'une valeur didascalique ou constituent le fond de scène caractéristique et symbolique d'où le personnage sort pour se rapprocher de l'avant-scène et se faire reconnaître, ou sont encore le *couplet* docile par lequel il s'exhibe, en rythmant presque un pas de danse. Dans la maison des singes. Entre en scène le prince de Conti. L'humiliation du salon bleu. Conversations dans le parc. Madeleine sort de scène... Un homme regarde et observe. Il ose opposer au *faux* théâtre de la vie le *vrai* théâtre de la scène, non pas avec la voix de la grande poésie, qui absout tout, mais avec l'ironie, avec la parodie, avec l'exagération aigre et hilare. Si Boulgakov choisit Molière comme idole et non Shakespeare, c'est parce que dans Shakespeare, comme disait Borges, il y avait tout le monde et personne. Chez Molière il n'y avait que lui-même, et les instruments anti-héroïques dont il se servait s'adaptaient au personnage moderne, qui cache la douleur et la défaite.

Tout comme pour le héros du *Roman théâtral* (titre que Boulgakov reprend du *Roman comique* de Scarron), pour Molière, la « lutte pour le théâtre » fut, à la lettre, une lutte pour la vie : une fuite de la vie, qui est du « théâtre » (comme l'a bien écrit Vittorio Strada), pour se sauver dans le théâtre, qui est la vie. La lente et prodigieuse préparation à cette confrontation intéresse Boulgakov plus que le temps de son affirmation. L'enfance, la jeunesse du fils du tapissier du Roi, sa vocation inattendue, ses misérables pérégrinations en province, occupent la plus grande section du livre, en un épisode qui s'achèvera avec sa mort sur scène : c'est-à-dire dans cet espace qu'il avait choisi, en tant qu'acteur et auteur, comme le seul authentique. Et que l'on ne s'étonne pas si Boulgakov néglige d'approfondir les faits privés douloureux de la vie de Molière, de sa famille d'acteurs : Madeleine, Armande et Baron. Qui fut vraiment Armande ? Que représenta Baron pour Molière et Armande ?

3. Le malheur est toujours obscur. Les hommes ne veulent pas le voir : ils essaient d'en rire ou de l'effacer. Le malheur, c'est le silence : ce qui ne parle pas ou qui n'apparaît pas. Mais s'il fait son chemin, s'il parvient jusqu'à nous, par la voix de la vérité, par le masque de l'ironie, il est difficile, il est impossible de l'étouffer. « Pourquoi, se demande Kaviérine, Boulgakov a-t-il eu un rapport si intense avec Molière ? Parce que le plus grand auteur de comédies qui ait jamais existé, qui a écrit les comédies sur lesquelles les spectateurs de trois siècles ont ri aux larmes, a vécu une vie terrible, tragique... En découvrant Molière, Boulgakov se découvrait lui-même. »

Je ne sais pas si l'identification peut être établie avec une telle exactitude. Il est certain que les deux existences ont été liées l'une à l'autre comme deux anneaux solides appartenant à la chaîne infrangible du malheur humain : Boulgakov, presque déjà effacé de l'histoire, avec ses personnages voués à l'insuccès, condamnés à la censure ou à la mort (le Maître qui a brûlé son roman sur Ponce Pilate et est obligé de vivre dans une clinique ; Pouchkine qui, comme nous l'apprend Kaviérine, apparaît une seule fois dans le drame, blessé à mort, avec le policier qui commente : « Oui, il se mordait les mains pour ne pas crier, pour que sa femme n'entendît pas, puis il se calma... »), et Molière, qui doit rire et s'agiter sur scène même quand on lui coupe la queue, comme les lézards.

[1969]

Index des noms

Acciajoli, Filippo, 26, 28
Altomare, Donato, Antonio, 79
Anne d'Autriche, reine de France, 71
Aristophane, 15
Aristote, 80
Artaud, Antonin, 76
Aubry, famille, 140
Aubry, Jean, 116

Bacon, Francis, 98
Balzac, Jean-Louis Guez de, 120
Baron, Michel, 13, 44, 91, 120, 121, 129, 154, 156
Beauval, famille, 132
Beauval, Louise, 132
Béjart, famille, 44, 114, 134, 141
Béjart, Armande, 7, 65, 156
Béjart, Geneviève, 114, 116, 140
Béjart, Joseph, 114
Béjart, Joseph, fils du précédent, 114
Béjart, Louis, 115, 116
Béjart, Madeleine, 113, 114, 115, 116, 147, 155, 156
Berain, Jean, 95
Biancolelli, Giuseppe Domenico, 30
Boileau-Despréaux, Nicolas, 16, 30, 131
Bona, Giovanni, 52
Bonfantini, Mario, 12
Borges, Jorge Luis, 155
Bossuet, Jacques-Bénigne, 19, 32, 33, 36, 60, 149
Boudet, André, beau-frère de Molière, 134, 139
Bouhéreau, Élie, 72
Brécourt, Guillaume Marcoureau, sieur de, 61
Boulgakov, Mikhaïl, 61, 153, 154, 155, 156
Burton, Robert, 81

Caffaro, Francesco, 32
Callot, Jacques, 11
Castelli, Niccolo, 34
Cervantes, Miguel de, 81
César, 120
Chalussay, Le Boulanger de, 61, 63, 67-72, 89
Champmeslé, Marie Desmares, dite Mademoiselle, 122
Chapelle [Claude-Emmanuel Lhuilier], 65, 118, 119, 139
Chiari, Pietro, 61
Christine, reine de Suède, 47
Cicognini, Giacinto Andrea, 25, 26, 31, 34
Clarier, François de, 78
Condé, Louis de Bourbon, prince de, dit le Grand Condé, 31, 32, 99, 123
Conti, Armand de Bourbon, prince de, 155
Corneille, Pierre, 66, 113
Corneille, Thomas, 30
Costantini [ou Constantini], Angelo, 11, 12, 13, 16
Courteline, Georges, 61

D'Assoucy, Charles Coypeau, 13
Daumier, Honoré, 95
Davico Bonino, Guido, 12
De Filippo, Eduardo, 18
De Simone-Brower, 34
Diodore de Sicile, 120
Donnay, Maurice, 61
Dorimond, Nicolas Drouin, dit, 28, 29, 30, 33
Du Boulay, 145

Duparc, Marquise-Thérèse de Gorla, dit Mademoiselle, 122

Fabre d'Eglantine, Philippe-François-Nazaire, 61
Faugère, Prosper, 17
Fénelon, François de Salignac de La Mothe, 58
Fernandez, Ramon, 154
Fiorilli, Tiberio, *voir* Scaramouche
François de Sales, saint, 46, 49, 57

Galien, Claude, 76, 79, 86, 87
Garboli, Cesare, 39 n
Garzoni, Tomaso, 12, 78-81
Gassendi, Pierre, 47
Gelosi, compagnie du, 12
Gendarme de Bévotte, Georges, 34
Gherardi, Evaristo, 18
Giliberto, Onofrio, 34
Goldoni, Carlo, 61
Grammont, Armand de, comte de Guiche, 145
Grimarest, Jean-Léonor Le Gallois, sieur de, 13, 87, 91, 95, 111, 149, 153, 154
Guérin, Nicolas-Armand, 149
Guérin d'Estriché, Isaac-François, 139, 140
Guiche, de, *voir* Grammont, Armand de
Guyon, du Chesnoy, Madame, 57

Hérodote, 120
Hervé, Marie, 114
Hippocrate, 76, 79, 89
Horace, 120
Houdard de la Motte, Antoine, 77

Jacob, Antoine, *voir* Montfleury
Jannings, Emil, 39
Jonson, Ben, 81

Kaviérine, Venjamín, 153, 154, 156
Kris, Ernst, 70

La Bruyère, Jean de, 58, 121
La Fayette, Marie-Madeleine Pioche de La Vergne, comtesse de, 66, 97
La Fontaine, Jean de, 137
La Forest, *voir* Vannies, Renée
La Grange, Charles Verlet, dit, 71, 72, 128
La Grange, veuve, 149
La Mesnadière, Hippolyte-Jules Pilet de, 81
La Rochefoucauld, François, duc de, 14, 97, 100, 121
La Thorillière, *voir* Lenoir, François
Lauzun, comte de, 145
Lenoir, François, sieur de La Thorillière, 136
Lescot, Jean-François de, 144
Le Vasseur, abbé, 68
Lolli, Giovan Battista Angelo, 17
Loménie, Leonard de, *voir* Villaubrun
Louis XIV, roi de France, 31, 64, 68, 70, 72, 80, 83, 95, 113, 123, 126, 137, 146, 153
Lulli, Jean-Baptiste, 76, 140

Machiavel, Niccolo, 21, 23
Malaval, François, 47-50, 52, 57, 58
Mauvillain, Jean-Armand de, médecin de Molière, 72, 75
Mazzarino, Giulio, 95
Mercier, Sébastien, 61
Metastasio, 28
Michelet, Jules, 89
Molinos, Michel de, 52-58
Montaigne, Michel Eyquem de, 92, 120
Montespan, Françoise-Athénaïs de Rochechouart de Mortemart, marquise de, 64
Montfleury [Antoine Jacob], 68

Morelli, Domenico, 43
Murnau, Friedrich Wilhelm, 39

Ovide, 120

Pascal, Blaise, 11, 15-19, 45, 97
Picquet, François, 47
Plaute, 16
Plutarque, 120
Poquelin, Esprit-Madeleine, fille de Molière, 7, 8, 107-150
Poquelin, Jean, frère de Molière, 134
Poquelin, Madeleine, sœur de Molière, épouse de André Boudet, 134
Poquelin, Nicolas, frère de Molière, 134
Pouchkine, Aleksandr, 156

Quinault, Philippe, 82 n

Rachel, Claude de, sieur de Montalant, 147-149
Racine, Jean, 15, 16, 18, 68, 121-124, 131, 154
Racine, Louis, 68
Raillart, Claude, horloger, 149
Raviguotte, la jardinière d'Auteuil, 120
Retz, Jean-François-Paul de Gondi, cardinal de, 120
Richard, Élie, 72
Richelieu, duc de, 145
Richepin, Jean, 61
Rivière, médecin, 85, 86, 90
Robinet, Charles, 71, 88
Rochemont, sieur de, 32
Rohault, Jacques, mathématicien ami de Molière, 65
Rovetta, Gerolamo, 61

Sablé, Madeleine de Souvré, marquise de, 97
Sade, Donatien-Alphonse-François, marquis de, 84
Sand, George, 61
Scaramouche [Tiberio Fiorilli], 11-19, 31, 67, 69, 70
Scarron, Paul, 12, 155
Sévigné, Marie de Rabutin-Chantal, marquise de, 14, 15, 19, 121
Shakespeare, William, 155
Strada, Vittorio, 155

Taschereau, Jules, 154
Térence, 17
Thérèse de Jésus, sainte, 57
Tirso de Molina [Gabriel Téllez], 21, 30, 34
Tristan l'Hermite, François l'Hermite, dit, 113
Turenne, Henri de La Tour d'Auvergne, vicomte de, 99

Vannies, Renée, dite La Forest, femme de chambre de la famille Molière, 14, 136
Verdi, Giuseppe, 43
Verlaine, Paul, 67
Villaubrun, Léonard de Loménie de La, 114
Villiers, Claude Deschamps, sieur de, 28, 29, 30, 33
Vivonne, Louis-Victor de Rochechouart, duc de Mortemart et duc de, 123
Voltaire, 15, 16, 30, 33, 34

Watteau, Antoine, 67, 77
Weyen, Laurent, 18, 70

TABLE

Avant-propos 7

I.

Le silence de l'acteur 11
Don Juan et la Commedia dell'Arte 21

II.

Tartuffe quiétiste ou la défense d'Orgon 39
Rire et mélancolie du dernier Molière 59
Radiographie d'un malade 95

III.

Un personnage non réalisé. Conversation imaginaire avec la fille de Molière 107

Appendice

Boulgakov et Molière 153

Index des noms 157

DANS LA MÊME COLLECTION

– *Vie, aventures et mort de Don Juan*
de GIOVANNI MACCHIA

– *La Tolérance et la vertu*
De l'usage politique de l'analogie
de LUCIANO CANFORA

– *La Démocratie comme violence*
de LUCIANO CANFORA

– *Le Mystère Thucydide*
de LUCIANO CANFORA

– *Du Ier au IVe Reich*
Permanence d'une nation, renaissances d'un État
de PIERRE BÉHAR

– *L'Autriche-Hongrie, idée d'avenir*
Permanences géopolitiques de l'Europe centrale et balkanique
de PIERRE BÉHAR

– *Une Géopolitique pour l'Europe*
Vers une nouvelle Eurasie ?
de PIERRE BÉHAR

– *Vestiges d'empires*
La décomposition de l'Europe centrale et balkanique
de PIERRE BÉHAR

– *Les Dames de Bagdad*
de ANDRÉ MIQUEL

– *Le Crépuscule de Casanova*
de ELIO BARTOLINI

– *Voltaire à table*
Plaisir du corps, plaisir de l'esprit
de CHRISTIANE MERVAUD

– *La Nouvelle Droite allemande*
de ELIO BARTOLINI

Cet ouvrage a été achevé d'imprimer
par l'Imprimerie Floch à Mayenne le 8 janvier 2004
N° d'impression : 58943. D. L. : janvier 2004.
Imprimé en France